NEW

더하기
영작 +

저자 **김미심**

수십 년간 영어를 가르친 경험을 바탕으로, 우리가 취약한 부분 위주로 연습하는 책을 냈습니다.
영어 문장 만들기가 쉽지 않은 학습자들에게 도움이 되었으면 합니다.
TEFL Certificate(애리조나 주립대 CESL)
Grammar Teacher Certificate(애리조나 주립대 CESL)

New 더하기 영작 플러스
의미 덩어리를 덧붙이며 문장 만들기

2024년 2월 22일 개정증보판 인쇄
2024년 2월 22일 개정증보판 발행
* 더하기 영작과 더하기 영작 플러스에 이어, 이번에 뉴 더하기 영작 플러스로 개정되었습니다.

저자	김미심
펴낸이	김미심
펴낸 곳	도서출판 글마음
주소	서울시 성북구 북악산로 813, 101-906
북 디자인	표지 : 이연경 내지 : 신은경, 이연경
전화	010-8978-8727
ISBN	979-11-982448-2-6[53740]

정가 21,000원

의미 덩어리의 쉬운 영작
더하기 영작 plus

[개정증보판]
NEW 더하기
영작 +

의미 덩어리를 덧붙여 가는
영작 연습장

김미심 저

Book heArt
도서출판 공마음

AI 통역 시대!
그래도 알아야 제대로 활용한다.

우리말과 많이 다른 영어,
우리 식으로 주어와 동사를 생략하면 AI는 엉뚱하게 해석해 놓는다. 또한 영어는 우리와 선후가 다르다. 하지만 어떤 것은 그렇지 않다. 이를 간과하면 AI는 원인과 결과 등을 거꾸로 전달할 수 있다. 내가 어느 정도 알아야 AI 번역이 도움이 된다.

이 책에서 소개하는 '의미 덩어리' 중심으로 덧붙여 가면서 문장 완성 개념과 원리를 차근차근 익히고 pop quiz를 풀어 가다 보면, 어순 구성력이 생길 것이다.

이 책이 간단한 '주어+동사'에서부터 문법적 지식이 많이 필요한 관계사와 부정어 문장까지 다루다 보니, 학습하다가 난이도의 차이를 느낄 수 있다. 그럴 때는 잠시 멈추고 어휘와 문법적 개념 등을 보완한 뒤에 다시 책을 펼쳐서 공부하길 권한다.

이 책은 어순 구성에 필요한 만큼만의 문장 성분과 품사에 대해 소개했다. 다른 문법적 지식은 문법책을 참고하기 바란다.

더하기 영작⁺의
원리와 목표

다음 어구를 지시에 따라 영어로 바꾸어 보시오.

순서 붙이기   주어+(타)동사+목적어+방법+장소+시간

1. 자녀들은
   → **The children**

2. 자녀들은 먹었다
   → **The children** had

3. 자녀들은 저녁을 먹었다.
   → **The children had** dinner.

4. 자녀들은 부모님과 저녁을 먹었다.
   → **The children had dinner** with the parents.

        부모님과 함께/같이
   = 부모님과(the parents) + 함께/같이(with)
                      ✕
   함께(with) + 부모님과(the parents)
      = with the parents

5. 자녀들은 부모님과 근사한 식당에서 저녁을 먹었다.
   → **The children had dinner with the parents** at a nice restaurant.

6. 자녀들은 부모님과 어버이날에 근사한 식당에서 저녁을 먹었다.
   → **The children had dinner with the parents at a nice restaurant** on Parents' Day.

위에서 보듯이, 우리말 어구를 영어 어순에 맞게 차근차근 덧붙이면서 문장을 완성한다.
이 방법을 익히고, 속도를 붙여서, 유창하게 하기 위한 것이 더하기 영작 플러스의 목표다.

머리말

더하기 영작 플러스의 원리와 목표

반드시 지켜야 할 문장 구조의 이해

꾸밈말의 순서

동사 같지 않은 동사: 준동사의 활용

Contents

영어는 동사 중심이다

1 〈동사〉 세우기

"밥 먹었어?" 라고 물을 때, 우리는 곧잘 "밥은?"이라고 명사로 묻는다. 이는 우리말이 명사 중심이기 때문이다. 영어 사용자들은 "Ate?"라고 묻는다. 영어는 동사 중심이기 때문이다. 그런데 우리말이 명사 중심이다 보니까 영단어를 외울 때 나도 모르게 명사를 주로 외운다. 하지만 동사부터 익혀야 한다. 즉, "a hat(모자)"라는 명사를 외울 땐 "put on(입다)"라는 일반적 쓰임새의 동사도 같이 기억해야 한다.

동사는 영어 문장을 만들 때 주어 다음에 놓인다. 동사란 움직임이나 행동을 나타낸다. 오르다(동작), 사랑하다(인식), 가지다(소유), 머물다(상태) 같은 단어가 이에 해당된다. *위 칸의 '2'란 숫자는 문장 만들기 순서에서 주어 다음인 두 번째 자리에 해당된다는 뜻이다.

POP QUIZ 1

떠오르는 대로 동사를 우리말로 적으시오.

1.   4.

2.   5.

3.   6.

Help Note 1

'하늘이 파랗다'라는 문장의 동사는?

'파랗다'는 주어의 동작이 아니라 상태를 설명해 주는 표현이다. 영어로 바꿀 땐 'be 동사+형용사'로 쓴다.
The sky is blue.

2 〈주어 + 동사〉 세우기

영어는 일반적으로 주어가 없는 말을 쓰지 않는다. "Ate?"라고 물어도 뜻은 통하지만 "Who?(누가)"라고 질문 받을 수 있다. Ate의 주체를 붙이지 않았기 때문이다. 따라서 "You ate?" 또는 "Did you eat?"이라고 물어야 한다. 주어를 생략해도 되는 우리말 습관 때문에 영어에서도 주어를 빼면 안 된다. <u>영어로 말할 땐 우리말 문장에서 생략한 주어를 일부러 찾아내서 붙여야 한다.</u>

Help Note 2

주어란?

1. 문장 속에서 행동(동사)의 주체인 누가와 무엇이에 해당되는 부분이다.
2. 주어엔 반드시 명사가 와야 한다.
   Healthy is important thing in your life. (X) '건강한'이라는 형용사를 주어로 사용했다.
   Health is an important thing in your life. (O) '건강'이라는 명사를 주어로 사용했다.
   Being healthy is important in your life. (O) '건강한 상태'라는 동명사를 주어로 사용했다.

Help Quiz

주어에 밑줄 그으시오.

1. 모두 감사의 인사를 했다.
2. 책을 읽는 것은 세상을 알게 되는 것이다.
3. 하늘에 해가 높이 떠 있다.

주어는 긍정문을 만들 때 맨 앞에 놓는다. 우리말에서 주어를 구별하는 요령은 명사 뒤에 (주격) 조사 -은, -는, -이, -가가 붙는 경향이 있다. '-은, -는'은 보조사지만 주격 조사로도 쓴다. *위 칸의 '1'이란 숫자는 문장 만들기 순서에서 첫 번째 자리에 해당된다는 뜻이다.

POP QUIZ 2

다음을 영어로 바꾸시오.

1. 나는 수영을 했다(swim/swam).　　나는 + 수영을 했다 → I swam.

2. 그녀는 독서를 했다(read/read).

3. 눈이(the snow) 내렸다(fall/fell).

    TV에서 한 연예인이 미국에서 겪은 일화를 소개했다. 뒤에서 누가 새로 산 자동차를 들이받았단다. 화가 나서 사고를 낸 사람에게 '네 모가지를 비틀어 버릴 테다'라는 뜻으로 "Neck twist"라고 했더니 상대방이 멀뚱히 쳐다보더라란다. 어쩌면, 목이 무엇을 비틀려고 그러나 하는 표정이었을지도 모르겠다. 만약 그 연예인이 영어 어순에 맞게 neck을 동사 뒤에 붙여 "(I'll) twist your neck"이라고 했다면 상대방이 어떻게 나왔을까? 자기 목을 비틀겠다는 뜻이니 말이다. 이처럼 영어와 우리말 어순의 가장 큰 차이는 우리말은 목적어를 동사 앞에 두고, 영어는 동사 다음에 둔다.

우리말	나는 영화를 본다.	나는 + 영화를 + 본다	주어 + 목적어 + 동사
		✕	✕
영 어	I see a movie.	I + see(본다) + a movie(영화를)	주어 + 동사 + 목적어

Help Note 3

목적어란? 명사만 목적어가 된다. 두 종류의 목적어가 있다.

1. 타동사의 목적어 : 누구를과 무엇을이라는 정보다. 명사가 전치사 없이 타동사 뒤에 붙는다.
   I need your wisdom. (O) Wisdom 이라는 명사가 목적어로 왔다.
   I need with your wisdom. (X) 타동사 need 뒤에 전치사 with 없이 명사(목적어)가 왔다.
2. 전치사의 목적어 : 전치사 뒤에 인칭 대명사 목적격이 온다.
           to he(X) to him(O)

목적어는 동사의 행동 대상이다. 동사 뒤에 온다. 목적어 뒤에 붙는 우리말 조사는 '-을/-를'만 가능하다.
*위 칸의 '3'이란 숫자는 문장 만들기 순서에서 세 번째 자리에 해당된다는 뜻이다.

POP QUIZ 3

다음을 〈주어+동사+명사〉의 순으로 바꾸시오.

1. 나는 신문을(a newspaper) 읽었다(read).　　나는 + 읽었다 + 신문을 → I read a newspaper.

2. 그녀는 티셔츠를(a T-shirt) 입었다(wore/put on).

3. 나는 코트(a coat) 단추를 채웠다(buttoned).

다음 문장을 영어로 바꾸시오.

나는 샤워를(a shower) 했다(took).

⇩

의미 덩어리로 나눈다   나는 + 샤워를 + 했다

⇩

영어 어순으로 바꾼다   나는 + 했다 + 샤워를   주어+동사+목적어

⇩

각 의미 덩어리를 영어로 바꾼다   I + took + a shower

⇩

바꾼 영어를 정렬한다   **I took a shower.**

1 그는 네 말을(you) 들었다(heard).

2 나는 빨래를(laundry) 했다(did).

3 그녀는 간을(the salt) 봤다(tasted).

4 그들은 배고픔을(hunger) 느꼈다(felt).

5 우리는 소꿉놀이를(house) 했다(played).

6 나는 수업을(a class) 들었다(took/had).

7 그는 더웠다(felt, the heat).

8 슬기는 설거지를(the dishes) 했다(did).

자/타동사란?

1 타동사는 무엇을과 누구를이 뒤따른다

1. 누군가 "샀어"라고 말하면 듣는 이가 "무엇을(what)?"이라고 묻는다. 무엇을이라는 목적어가 필요하므로 '샀어(bought)'는 타동사다.

나는 + 샀어 + <u>책을</u>   ⇨   I bought + <u>a book</u>

무엇을?   what?

2. 누군가가 "좋아해."라고 말하면 듣는 이가 "누구를(who)?"이라고 묻는다. 누구를이라는 목적어 정보가 필요하므로 '좋아해(like)'는 타동사다. 누구에게의 경우엔 아래 help note1을 참조한다.

나는 + 좋아해 + <u>그를</u>   ⇨   I like + <u>him</u>

누구를?   who?

> ### Help Note 1
>
> '사람+사물' 어구가 타동사의 목적어가 될 경우와 안 될 경우(*unit 5, 1.2. 참조)
>
> 1. I gave him a book.
>   목적격 him이 간접 목적어 자리에 놓였다. 목적어다.
>
> 2. I gave a book to him.
>   목적격 him이 전치사 다음에 왔다. 전치사 to의 목적어가 된다.

3. 행동(동사)이 가서 영향을 미치는 대상, 즉 목적어가 되려면 우리말 문장에서 목적격 조사 ~을/~를만 붙어야 한다. ~로, ~에 같은 조사도 붙을 수 있다면 목적어가 아니다. I go to school을 번역할 때, 나는 학교에 간다, 학교로 간다, 학교를 간다처럼, 목적격 조사가 아닌 ~에, ~로라는 조사도 붙일 수 있다. 따라서 school은 동사 go의 목적어가 아니다. 전치사 to의 목적어다.(*p. 14, help note2 참조)

> ### Help Quiz
>
> 다음 문장 속의 목적어가 타동사의 목적어인지 전치사의 목적어인지 고르시오.
>
> 1. My father named me Boram. (타동사의 목적어 / 전치사의 목적어)
> 2. Who was this call for? (타동사의 목적어 / 전치사의 목적어) ★구어체에서는 목적격도 who를 쓴다.
> 3. I wrote a story for Boram. (타동사의 목적어 / 전치사의 목적어)

2 자동사는 무엇을과 누구를이 궁금하지 않다

누군가가 '다녀왔어.'라고 말하면 듣는 이가 '누구를', '무엇을'이라고 묻지 않는다. 반면에 '어디(where)?', '언제(when)?' '왜(why)?', '어떻게(how)?'라고 묻는다. 부사에 해당되는 내용이다. 부사는 목적어가 될 수 없다. 예로, go라는 동사에 누구를을 붙여 보자. 나는 Tom을 갔어가 된다. 의미가 성립되지 않는다. 이처럼 누구를과 무엇을이라는 정보(목적어: 전치사가 붙지 않은 명사)가 필요하지 않는 동사가 자동사다.

나는 + _____ + 갔어.			I went + _____ .
어디로?	대전으로	Where?	to Daejeon
언제?	어제	When?	yesterday
왜?	제사 지내러	Why?	for a memorial
어떻게?	버스 타고	How?	by bus

3 자/타동사의 문장 구조 비교

모든 동사는 기본적으로 자/타동사로 바꿔서 사용할 수 있다. 뒤에 어떤 내용이 어떤 품사 형태로 오느냐에 따라 문장 구조가 달라진다.

기본 문장	해당 내용		목적어	설명	동사
I taught +	누구를?	my kids	v	전치사 없이 누구를이 오면 목적어	타
	언제?	last Friday		시간에 대한 내용은 부사	자
	어디서?	at our school		장소에 대한 내용은 부사	자
	무엇을?	math	v	−을이라는 조사가 붙었으므로 목적어	타
	어떻게?	well		방법에 대한 내용은 부사	자
	왜?	for Korea		우리나라를 위해라는 이유를 나타내는 부사	자

기본 문장	해당 내용		목적어	설명	동사
I walked +	어디서?	outside		장소(where)를 묻는 부사	자
	무엇을?	my dog	v	타동사일 땐 의미가 산책시키다가 된다	타
	어떻게?	on foot		두 발로라는 방법은 부사	자
	왜?	for eating		밥 먹으러라는 이유를 나타내는 부사	자

POP QUIZ 1

다음의 어구 뒤에 주어진 조건대로 내용을 완성하시오. 그를 바탕으로 자/타동사를 구별하시오.

I ate +	무엇을?	
	어떻게?	
We met +	누구를?	
	언제?	

4 자/타동사의 쓰임에 따른 의미 차이

대부분의 동사엔 자동사와 타동사 기능이 모두 있다. 뜻의 차이는 있다.

I worked.	나는 일했다
I worked hard.	나는 열심히 일했다.
I worked from 9 to 5.	나는 9시부터 5시까지 일했다.

위 문장의 동사 worked 뒤에 목적어가 없다. 자동사로 쓰였다. 주어가 일했다는 의미다. 이처럼 자동사는 주어의 행동을 의미한다.

I worked Tom.	나는 탐에게 일을 시켰다.
I worked Tom hard.	나는 탐에게 일을 몹시 시켰다.
I worked Tom from 9 to 5.	나는 탐에게 9시부터 5시까지 일을 시켰다.

위 문장에서도 동사가 worked이긴 마찬가지다. 그런데 Tom이 목적어로 왔다. Worked의 뜻이 일을 시키다로 바뀌었다. 일을 한 사람은 내가 아니라 Tom이다. 이처럼 타동사는 그 행동이 목적어에 가서 미친다.

Help Note 2

자동사가 목적어를 받는 방법

전치사를 붙이고, 그 전치사의 목적어로서 명사 또는 인칭 대명사의 목적격을 붙인다.

The flights for Seoul departs from Gate 3.(o)
The flights for Seoul departs Gate 3.(x)   ※왕래발착 동사들은 자동사가 많다.

여행을 떠나다라는 뜻의 depart는 자동사이므로 전치사+명사를 붙인다.

Help Note 3

타동사를 자동사로 만드는 방법

목적어가 필요힌 타동사를 수동태형(be+p.p.)으로 민들면 목직어가 필요치 않다. 자동사로 변한 것이다. 구어체에서는 get+p.p로도 많이 쓴다. (*수동태에 관련한 문법 내용은 문법책 참조)

a. I made a box.   **b.** The box was made by me.
       목적어   전치사구

Me는 전치사 by의 목적어지 동사 was made의 목적어가 아니다.

POP QUIZ 2

다음 문장을 우리말로 바꾸시오.

1. I cooked.   나는 요리했다.
   I cooked dinner.   나는 저녁밥을 지었다.

2. I got hurt.
   I got her hurt.

다음 문장을 영어로 바꾸시오.

> **그는 회의에(a meeting) 도착했다(arrived).**

의미 덩어리로 나눈다	그는 + 회의에 + 도착했다
	⇩
영어 어순으로 바꾼다	그는 + 도착했다 + 회의에
	⇩
각 의미 덩어리를 영어로 바꾼다	He + arrived + for/at the meeting
	⇩
바꾼 영어를 정렬한다	He arrived for/at the meeting.

도착한 곳이 회의다. 어디에 해당된다. 부사다. 자동사로 쓴다. 회의를 하기 위해라는 for 또는 회의어라는 장소 개념의 at를 붙인다.

1 비행기가(The plane) 활주로에(the runway) 착륙했다(landed).

2 나는 꽃 냄새를(a flower) 맡았다(smelt).

3 그녀는 음악에(music) 감동했다(felt).

4 그녀는 환자의 식사 시중을 들었다(waited on).

5 선생님은 학생들의 시험지를(the students' tests) 채점했다(marked).

6 우리 어머니는 담임 선생님(my class teacher)과 얘기를 나누셨다(talked).

7 아이는 장난감(a toy)을 사달라고 졸랐다(teased).

8 연기(smoke)가 방을 가득 메웠다(filled).

Unit 3

자/타동사의 적용 기준

1 적용 원리

타동사는 뒤에 전치사 없는 명사(목적어)를 받는다. 자동사는 목적어가 필요하지 않다. 필요하면 전치사 붙은 명사(전치사구)를 받는다. 거꾸로, 전치사 없는 명사(목적어)를 쓰고 싶으면 타동사를 선택한다.

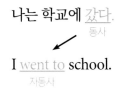

자동사 go/went를 선택했으므로 전치사 to를 붙이고 그 뒤에 전치사의 목적어로 school을 붙였다.

타동사 attended를 썼으므로 전치사 없는 명사(school)를 목적어로 받았다.

> #### Help Note
>
> 정관사(the)는 (상대방도) 아는 것에 붙인다. 반면에 부정관사(a/an)는 (상대방이) 모를 때 붙인다.
> 1. 한번 나왔든, 짐작이든, 범위가 정해졌든, 그 지역에 하나 밖에 없는, 알고 있는 것이면 the를 붙인다.
>   He went to the store. 그가 알고 있는 가게에 갔다.
>   He went to a store. 그가 모르는 가게에 갔다.
>
> 2. The/a의 사용은 맥락 속에서 결정된다. 한 문장 안에서 a/the의 결정은 정보가 더 필요하다.

> #### Help Quiz
>
> 다음 문장 속에서 적당한 관사를 고르시오.
> 1. (The / A) phone rang.
> 2. I patted her on (the / a) shoulder.
> 3. How's (the / a) baby?

나는 산책(을) 했다.

★ 자동사를 쓸 경우

   1. 목적어가 필요치 않으니 주어+동사 구문을 활용한다. I walked. / I strolled.

   2. 자동사 went(go)에 전치사구 for a walk를 붙였다. I went for a walk.

   3. Be 동사를 쓰려면 상태를 설명하는 out을 붙인다. '외출하는(be out)' 것의 목적인 산책을 위해서(for a walk)'를 붙인다. I was out for a walk.

POP QUIZ ①

제시한 자동사를 사용해서 다음 문장을 영어로 바꾸시오.

   1. 가게가 어제 개업했다.   **The store opened yesterday.**
      → 목적어가 없다. 자동사로 쓴다.

   2. 나는 문 쪽으로 출발했다(start).

   3. 나는 대문을 나섰다(go out).

   4. 나는 버스를 타고 학교에 갔다(go).

★ 타동사를 쓸 경우

   1. 타동사 take를 쓰려면 목적어가 뒤따라야 한다. 산책이라는 명사 'a walk'를 목적어로 붙인다.
      I took a walk.

   2. 타동사 enjoy를 사용한다. I enjoyed a walk.

   3. Stroll을 사용한다. I take a stroll = I have a stroll.

POP QUIZ ②

제시한 타동사를 사용해서 다음 문장을 영어로 바꾸시오.

   1. 나는 어제 가게를 개업했다(open).   **I opened the store yesterday.**
      → 가게 뒤에 목적격 조사 ~를이 붙었다. 타동사 뒤에 전치사 없이 store를 붙인다. 그가 개업한 가게이므로, 이미 아는 가게라, 정관사 the*를 붙인다. 시간은 문장 순서 중 맨 뒤에 놓인다. * p. 16, help note 참조

   2. 나는 문 쪽으로 다가갔다(approach).

   3. 나는 대문을 나섰다(leave).

   4. 나는 버스를 타고 학교에 갔다(take).

★ Be 동사가 와야 할 경우

동사 뒤 명사가 주어를 설명하면 be 동사를 쓴다.

내 친구가 학급 회장이다.

영어 어순으로 바꾼다 ↓

내 친구가 + 이다 + 학급 회장이

영어로 바꾸어 정렬한다 ↓ 주어와 학급 회장이 같은 인물이다. Be 동사를 쓴다.

My friend is the class president.

★ 일반 동사가 와야 할 경우

동사 뒤 명사가 주어를 설명하지 않으면 그 뜻에 맞는 일반 동사를 쓴다.

나는 볼일을 봤다.

영어 어순으로 바꾼다 ↓

나는 + 봤다 + 볼일을

영어로 바꾸어 정렬한다 ↓ 나 ≠ 볼일. 일반 동사를 사용한다.
(사전에서) run an errand가 용무를 보다라는 것을 찾아냈다.

I + ran + an errand.

POP QUIZ 3

다음을 〈주어+일반 동사+명사(목적어)〉 또는 〈주어+be 동사+명사〉의 영어 문장으로 만드시오.
시제도 맞추시오.

1. 개 한 마리가 그 초등학생을(the schoolboy/schoolgirl) 따랐다(go after/ be after).

2. 그것은 화분 한 개(a plant)와 액자 한 개(a picture)다.

3. 그는 컴퓨터를(a computer) 했다(use).

4. 한 남자가 소포를(a package) 보고(look at) 있었다.

5. 나는 잠자리를(a bed) 정돈했다(make).

6. 그녀는 화장을(makeup) 했다(wear).

주어진 어휘를 사용해서 다음을 자/타동사 문장으로 만드시오.

그녀는 옷을 입었다(get dressed). (자동사)
⇩
의미 덩어리로 나눈다   그녀는 + 옷을 입었다
⇩
영어로 바꾸어 정렬한다   **She + got dressed.**

Get dressed는 옷을 입다라는 자동사다.
목적어가 필요치 않다. 시제를 맞춘다.

나는 아이들에게 옷을 입혔다(dress). (타동사)
⇩
의미 덩어리로 나눈다   나는 + 옷을 입혔다 + 아이들에게
⇩
영어로 바꾸어 정렬한다   **I + dressed the children.**

Dressed는 옷을 입히다라는 타동사다.
옷을 갈아입히는 아이들은 아는 관계다.
The를 붙인다.

1. 그녀는 살이(some weight) 좀 쪘다(put on). (타동사)

2. 그는 새 코트를(a new coat) 입고 있었다(wear). (타동사)

3. 옷 좀 갈아입고 올게요(get changed). (자동사)

4. 그는 머리를(his hair) 기르고 있다(grow). (타동사)

5. 나무가 점점 자라고(taller) 있다(grow). (자동사)

6. 식구가(The family) 늘었다(grow). (자동사)

7. 공포가(fears) 커지고 있다(grow). (자동사)

8. 시계가 세 시를 가리킨다(said). (자동사)   자동사는 주어가 사물이어도 수동태로 바꾸지 않는다.

편리한 be 동사

1 〈Be 동사 + 형용사〉

He   is   polite. (polite는 주어의 상태 설명)
주어 + be 동사 + 형용사

Polite한 사람은 주어 he다. 이처럼 동사 뒤의 형용사가 주어의 상태를 설명해 줄 때는 be 동사를 쓴다.

POP QUIZ 1

다음을 〈be 동사+형용사〉 문장으로 만드시오.

1. 그 영화는 길었다(long).

2. 그의 목소리가(his voice) 낯익다(familiar).

3. 나는 그것에 대해(about that) 확신해(sure).

2 〈Be 동사 + 전치사구〉

She was at table.   그녀는 식사 중이었다.

그녀(she)가 밥상(table) 앞에(at)에 있었다(was). 왜? 밥상 앞에 앉는 일반적인 이유는 밥을 먹기 위해서다. 식탁 본래의 쓰임새인 밥을 먹었다는 의미로 쓰여 관사를 붙이지 않았다.(p. 21, help note 참조)
아울러, 〈주어+be 동사+전치사구〉 문형은 자주 쓰인다. 이때 be 동사는 '~ 상태에 있다'의 뜻을 지닌다.
전치사구는 대부분 부사로서 방법, 장소, 시간, 이유에 대한 것이다.(p. 33, 3번 참조)

POP QUIZ 2

다음을 〈be 동사+at+명사〉 영어 문장으로 만드시오.

1. 나는 수업을(class) 들었다.

2. 우리는 슬픈 영화를(sad movie) 봤다.

3. 그 아기는 엄마 옆에서(with the mother) 마음을 놓았다(at ease).

3 Be 동사와 불완전 자동사는 교환 가능

형용사가 주어의 상태를 설명해 주거나, 명사가 주어와 동격일 경우 be 동사를 사용한다. 일반 동사 중 불완전 자동사와 바꿔 써도 된다. 의미가 더 구체적이 된다. **He is sad**가 그가 슬픈 것을 의미한다면, **He seems sad**는 관찰자가 보기에 그가 슬퍼 보인다는 상황을 전달한다.

I was terrible.	→	I felt terrible. (I의 상태가 terrible)
I was a wolf at midnight.	→	I turned a wolf at midnight. (I = a wolf)
I am here.	→	I arrived here.

Help Note

At TV와 at the TV 차이(*관사 사용법은 p. 16, help note 참조)

1. 가구, 기계, 건물, 행사 등이 본래 제작 목적으로 쓰일 때는 관사를 붙이지 않는다. 본래 목적인 공부하러 학교에 갈 때는 go to school, 학부모 상담 등 다른 볼일로 아는 학교를 갈 때는 the를 붙여 go to the school, 모르는 학교에 가 볼 때는 a를 붙여 go to a school이다.

2. TV 본래 목적인 프로그램을 볼 때는 관사 없이 watch TV, 기계 점검 등 다른 목적으로 살펴볼 땐 watch the TV, 수상기를 한 대 사 볼까 하는 심정 등으로 모르는 TV를 살펴볼 땐 watch a TV다.

I had lunch / a lunch	본래 목적인 밥 먹을 때 무관사 / 점심 약속이라 관사 붙임
I paid for the lunch.	밥값 등 다른 이유로 거론 할 때
I slept in office.	근무 중 잤다.
I slept in the office.	사무실에서 잤다.

다음을 be 동사와 일반 동사를 사용해서 영어 문장으로 만드시오.

1. 우리는 영어 수업에(English class) 출석했다(be at / attend).

   We were at English class.

   We attended English class.

2. 곧(right / soon) 돌아오겠다(be back / come back).

3. 그는 간밤에(last night) 밤을 샜다(be up / sit up / stay up).

4. 어디(where) 출신이니(be from / come from)?

4 **~ (어디)에 ~ (뭐)가 있다**

1. **There is ~** (~ 있다) 구문이란?

'무생물이 어디에 있다'라고 쓸 때, 우리말은 '무생물'을 주어로 잡는다. 영어에서는 there is ~ (~ 있다) 구문으로 이끈다. 사물은 스스로 움직일 수 없다는 개념 때문이다.

책상에 책이 있다. → **a.** A book is on a desk. 우리말을 직역한 문장

b. There is a book on a desk. 실제 영어
　　유도 부사

2. 주어와 동사의 어순 도치

영어에서는 (유도) 부사, 의문사 등 주어 외에 다른 요소가 문장 앞에 오면 그 뒤 어순이 be/자동사+주어로 순서가 바뀐다. 이때 동사는 주어의 인칭, 단/복수, 시제에 맞춘다.

a. There is a horse in the distance. 저 멀리에 말이 있다.
　　　　단수

b. There are horses in the distance.
　　　　　　복수

c. There remains a horse in the distance. 저 멀리에 말 한 마리가 남아 있다.
　　　　일반 동사

3. 의문문/부정문 만들기

다른 be 동사 문장과 동일한 문법 규칙을 적용한다. 의문문으로 바꿀 때 be 동사만 맨 앞으로 보낸다. 부정문을 만들 땐 be 동사 뒤에 'not'를 넣는다.

There is a book on the desk.

Is there a book on the desk?

There is a book on the desk. → There is not (=isn't) a book on the desk.
　　　　∧
　　　not

There isn't a book on the desk.

Isn't there a book on the desk? = Is there not a book on the desk?

POP QUIZ 4

다음을 〈There+is+명사〉 문장으로 만드시오.

1. 동물원에(at the zoo) 코끼리가 한 마리(an elephant) 있다.

2. 트렁크에(in the trunk) 스페어 바퀴가(a spare tire) 있다.

3. 손바닥 위에(on the palm) 파리가 한 마리(a fly) 있다.

다음을 주어진 어휘를 사용해서 be 동사가 포함된 문장으로 만드시오.

강아지가 양지에서 볕을 쪼이고 있었다(in the sun).

⇩

영어 의미 덩어리로 나눈다   강아지가 + 있었다 + 양지에서 볕을 쪼이고

⇩   주어가 생물일 때는 there is~ 구문을 사용하지 않아도 된다.

영어로 바꾸어 정렬한다   **A dog was in the sun. / There was a dog in the sun.**

- -

지하철이 사람들로 붐볐다(busy).

⇩

영어 어순으로 바꾼다   지하철이 + 이다 + 사람들로 붐비(다)

⇩   Busy엔 사람들로 북적대다라는 뜻이 있다.

영어로 바꾸어 정렬한다   **The subway was busy. / There was a big crowd in the subway.**

1 엄마는 남동생 편이다(for my brother).

2 북쪽 지방엔(in the north) 겨울엔 눈이 많이(lots of snow) 온다.

3 내 뒤에서(behind) 시끄러운 소리가(a noise) 났다.

4 나는 버스를(on a bus) 탔다.

5 방 양쪽 끝에(on the both sides) 스탠드 두 개가(lamps) 있다.

6 어쩌면(maybe) 내가 틀렸을 지도(wrong) 모르겠다.

7 이번 달엔 29일이 있다(There are~).

8 그는 어제 결석했다(be absent).

4형식의 의미와 5형식의 목적격 보어

1 두 개의 목적어 순서

동사가 때로는 목적어를 두 개 받는다. 사람(-에게)+사물(-을/를) 순으로 나란히 놓는다. 동사는 뒤에 주다 라는 말을 붙인다.

Tom taught me.	톰은 너를 가르쳤다.	(3형식 문형)
Tom taught English.	톰은 영어를 가르쳤다.	(3형식 문형)
Tom taught me English.	톰은 내게 영어를 가르쳐 줬다.	(4형식 문형)

누구에게 + 무엇을

2 사람 + 사물 목적어는 왜 쓸까?

사람+사물 목적어 문형은 목적어(사물)+전치사구(사람) 형식으로 바꿀 수 있다. 뜻의 차이는 있다.

a. I sent Jane a hat. (4형식) → **b.** I sent a hat to Jane. (3형식)

4형식 문형인 a문장은 Jane이 그 모자를 가지고 있다는 소유의 의미를 강조한다. (목적어 강조)
3형식 문형인 b문장은 내가 그 모자를 보냈다는 주어의 동작을 강조한다. (주어의 행동 강조)

Help Note 1

목적어 두 개를 모두 인칭 대명사로 쓸 수 없다. 하나를 목적어+전치사구나 명사로 바꾼다.

I'll send him it. (x) → I'll send it to him. (o)
I'll send him a book. (o)
I'll send Tom a book. (o)
I'll send Tom it. (o)

POP QUIZ 1

다음을 〈주어+동사+사람+사물〉 문장으로 만드시오.

1. 그 남자는 그 여자에게 꽃다발을(a bunch of flowers) 선물했다(present).

2. 어머니는 내게 저녁을 지어 줬다(cook).

3. 그 결정은(the decision) 내가 다시 생각(second thought)해 보게 만들었다(give).

My father thought him a police officer. (my father ≠ him = a police officer)
　↑　　　　　↑　　　　↑　　　　　　↑
주어　+　동사　+주어+(동사)+주격 보어의 개념이다
He was a police officer. 그는 경찰관이다.

주격 보어로 명사가 온 경우다. Him(목적어)과 police officer(목적격 보어)는 같은 사람이다. 주어와 주격 보어의 관계와 같다.

━━━━━━━━━━━━━━━━━━ P O P Q U I Z ❷

다음을 〈주어+동사+목적어+명사〉 문장으로 만드시오.

 1. 그들은 그를 멋진 신사라고(a nice gentleman) 여겼다(consider).

 2. 군복무는(Military service) 그를 남자로(a man) 만들었다(make).

 3. 옷을(your dress) 누더기로(rags) 만들지 마라(get).(명령문)

I   wanted my coffee   hot. 나는 커피가 뜨거웠으면 좋겠다.
↑　　　↑　　　　↑　　　　↑
주어 + 동사 +주어+(동사)+주격 보어의 개념이다
My coffee was hot. 커피가 뜨겁다.

주격 보어로 형용사가 온 경우다. My coffee(목적어)의 상태가 hot하다.

━━━━━━━━━━━━━━━━━━ P O P Q U I Z ❸

다음을 〈주어+동사+목적어+형용사〉 문장으로 만드시오.

 1. 그 머리 모양(that hairstyle)은 나를 너무 나이 들어 보이게(look too old) 만들었다.

 2. 내 말이(my words) 선생님을(the teacher) 화나게(mad) 했다.

 3. 비가 오니(the rain) 공기가(the air) 깨끗해(fresh)졌다(let).

목적격 보어로써 동사의 능동/수동 형태

목적격 보어로써 형용사의 일종인 분사구문이 올 수 있다. 목적어 스스로 뭔가를 해낼 땐 **능동형인** to부정사*나 원형 부정사를, 다른 힘에 의존한다면 **수동형인** 과거 분사를 붙인다. *to부정사 편 참조.

(a) I helped <u>Jane understand the math problem</u>. 제인이 수학 문제를 이해하도록 내가 도왔다.

Jane understood the math problem

→ Help는 목적어가 사람인 경우 원형 부정사를, 사물인 경우 to부정사를 받는다.

제인이 스스로 산수 문제를 이해할 수 있<u>으므로</u> 능동형인 원형 부정사 understand를 썼다.

(b) I ordered <u>the party organized</u>. 나는 파티가 준비되도록 도왔다.

the party was organized

파티 입징에서는 준비된 것이므로 수동형인 과거 분사 organized를 썼다.

Help Note 2

5형식 동사에 대한 개념 정리

1. 5형식을 주도하는 동사는 불완전 타동사다(want, think, consider, imagine, believe 등). 목적격 보어로 to부정사나 현재 분사 모두 받을 수 있다.

2. 그 중 ~시키다라는 개념 동사를 사역 동사라 한다(let, get, bid, help 등).
   I let Tom pass by.   let: 허락하다 *pass by: 지나가다
   I made Tom clean the room.   make: 강제로 하게 하다
   I had pizza delivered.   have: 사람을 시켜서 하다. 주어+have+사물+p.p.를 쓴다.

3. 사역 동사는 현재 분사를 보어로 받지 않는다. 사역 동사 중 let, have, make와 지각 동사는 to부정사 대신 원형 부정사를 받는다. 단, 지각 동사는 현재 분사도 받을 수 있다.
   My doctor had me (do, ~~to do~~, ~~doing~~) a blood test.
   He saw me (cross, ~~to cross~~, crossing) the street.

Help Quiz

다음 문장 속에 주어진 어휘 중에서 알맞은 형태를 고르시오.

1. 나는 영어로 말하는 소리를 들었다.
   I heard English (speak, speaking, spoken)
2. 우리는 그가 그녀에게 점차 다가가고 있는 것을 보았다.
   We saw him (come, coming) to her.
3. 낚시꾼은 고기가 낚인 것을 알았다.
   The fisherman found a fish (catch, catching, caught)

다음 문장을 영어로 바꾸시오.

엄마는 우리를 서울서 살게 했다.

⇩

의미 덩어리로 나눈다   엄마는 + 우리가 + 서울서 살게 + 했다   동사 '○○'의 행동 주체는 '○○○'고 '○○ ○' 행동 주체는 엄마다. 5형식에 맞는 의미 덩어리로 나눈다.

⇩

영어 어순으로 바꾼다   엄마는 + 했다 + 우리를 + 서울서 살게

⇩

각 의미 덩어리를 영어로 바꾼다   Mom + made + us + live in Seoul   우리는 스스로 살 수 있으므로 make의 목적격 보어로 능동인 원형 부정사를, get일 땐 to부정사를 쓴다.
Mom + got + us + to live in Seoul

⇩

바꾼 영어를 정렬한다   **Mom made us live in Seoul. = Mom got us to live in Seoul.**

---

1 한강은(Hangang) 서울을 비옥하게(rich) 했다.

2 아이들을(children) 울리지(cry) 마라.

3 내 여동생은 내가 방 청소(clean) 하는 것을 도왔다(help).

4 나는 뭔가가(something) 떨어지는(fall) 소리를 들었다.

5 나는 자장면을 (black noodle) 배달시켰다(deliver).

6 그는 퍼레이드 대열이(the parade) 100미터밖에(100 meters away) 있다고(be) 알려 왔다(report).

7 슬기는 보람에게 비밀을(a secret) 말해 줬다.

8 우리는 눈사람을 익살맞게(funny) 만들었다(build).

순서가 있는 형용사

1 명사가 꼼짝 못 하는 형용사

Ugly doll과 pretty doll이 있다. 아가는 어느 인형을 선택할까? 이처럼 어떤 형용사가 오느냐에 따라 명사의 성격이 달라진다. 형용사는 명사의 상태를 설명한다. 흔히 명사를 꾸며 준다고 표현한다.

2 명사 앞에 놓이는 형용사의 순서

명사의 성격이나 상태를 설명해 줄 때, 형용사는 명사 앞에 온다. 순서가 있다.

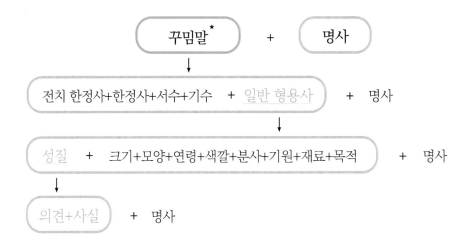

a. | The | last | five | days. |
   | 한정사 + | 서수 + | 기수 | |

b. | Both | her | nice | old parents. |
   | 전치 한정사 + | 한정사 + | 성상 + | 연령 |

c. | A | small | old | brick house |
   | 한정사 + | 크기 + | 연령 + | 재료 |

d. | The | beautiful | bright | sunny day |
   | 한정사 + | 의견 + | 사실 + | 사실 |

전치 한정사: half, double 등의 배수사, all, both,...
한정사: 관사(a, the), 소유격(my), 지시 형용사(this, that) 부정 형용사(some, any)
서수(순서수): first, second...
기수(숫자): one, two...
일반 형용사: 사물의 성질, 상태, 종류.
    └▸ 일반 형용사의 종류
        성상(성질과 상태) 형용사: lovely, definite, pure, extreme, perfect, wonderful, ...
          └▸ 성상(성질과 상태) 형용사의 종류
                 의견: good, beautiful, important, delicious,...
                 사실: little, watery, old, large...
        크기 형용사: 크기(size), 길이(length), 높이(height) 등에 해당되는 표현.
        모양 형용사: round, circular...
        연령 형용사: 나이, old, new...
        색깔 형용사: red, yellow...
        분사: surprised, interesting...
        기원: Korean, Chinese...
        재료: floral, wooden...
        목적: shopping (cart), sleeping (bag)... 목적을 나타내는 형용사는 R+ing나 명사가 온다. 명사는 단수로 쓴다.

예외로, somebody, anyone, nothing 등, some과 any, no의 합성어는 형용사를 뒤에 붙인다.

Something special, anybody stupid.

Help Note

형용사 순서의 첫 글자만 딴 도표다. 외워 두면 도움이 된다.

    전한서기 **형** + 명
            ↓
    성 크모연색분기재목 + 명
     ↓
    의사 + 명

POP QUIZ 1

다음을 〈(전치사)+관사+형용사+명사〉 순으로 영어 어구를 만드시오.

1. 일곱 대의 저(those) 큰(large) 배들(ships)

2. 수많은 예쁘고 젊은 한국 여자들

3. 중국산 유리 꽃무늬(floral-pattern) 쟁반(tray)

3 형용사처럼 다른 명사를 꾸며 주는 명사

1. 명사+명사 구조로, 앞 명사는 형용사처럼 뒤 명사를 꾸며 준다.

A baby boy 남자 아기
명사 + 명사

POP QUIZ 2

다음을 〈명사+명사〉 순으로 영어 어구를 만드시오.

1. 단어(vocabulary)장

2. 벽걸이(wall) 시계

3. 대학가(town)

4. 탁상 달력

2. 전달하고픈 어구, 문장 등을 하이픈(-)을 연결해서 명사를 꾸며 주는 형용사로 만든다.

A pair of height-up shoes 키 높이 신발 한 켤레

An I-love-you smile 사랑한다는 의미/표정의 미소

POP QUIZ 3

다음을 하이픈(-)을 연결해서 영어 어구를 만드시오.

1. 성질이 급한(short tempered) 직장 상사

2. 잘생긴(good looking) 배우

3. 뜯어내는(tear off) 메모지(memo pad)

4. 단기(short term) 체류(stay)

3. 형용사 역할을 하는 명사는 반드시 단수여야 한다.

우리말에서 ~짜리라는 표현이 있다. ~짜리는 영어로 바꾸지 않는다. 숫자+단수 명사 형태로만 만든다.

Five-foot length 5피트짜리 길이: Five가 복수라 feet가 되어야 할 것 같지만 뒤의 명사를 꾸며 주므로 단수 foot로 쓴다.

A ten-dollar bill 10달러짜리 지폐 1장: bill은 맨 앞의 하나(a)라는 숫자 때문에 단수다.

Ten ten-dollar bills 10달러짜리 지폐 10장: bill은 맨 앞의 10이라는 숫자 때문에 복수다.

POP QUIZ 4

다음을 〈숫자+단수 명사〉가 들어간 영어 어구를 만드시오.

1. 7층짜리(story) 건물

2. 선수가(player) 13명인 축구팀

3. 90점(score)짜리 시험지(test paper)

4. 2년짜리 계약직(contract worker)

※ 건물 층수를 셀 때, 바깥에서는 a story/ stories, 안에서는 the+서수+floor로 센다.

다음을 형용사 수식 어구가 들어간 영어 문장으로 바꾸시오.

그는 15㎝짜리 노란 연필 석 자루를 가지고 있다.

의미 덩어리로 나누어 영어 어순으로 정렬한다   ⇩   우리말 문장 마지막 동사를 영어 문장 본 동사로 삼는다.

그는 + 가지고 있다 + <u>연필 석 자루를</u> + <u>15cm 짜리 노란</u>
기수   크기   색깔

각 의미 덩어리를 영어로 바꾼다   ⇩

He + has + three fifteen-centimeter + yellow + pencils

바꾼 영어를 정렬한다   ⇩

He has three fifteen-centimeter yellow pencils.

---

1 우리는 작고 오래된 벽돌집으로(brick) 이사했다(move).

2 나는 동생에게 아주 크고 빨간 사과 반쪽(half a ~ apple)을 건넸다(hand).

3 그는 많은 월급을(a good salary) 받는다(get).

4 그들은 힘든 시간(hard/tough time)을 겪었다(go through).

5 그녀는 길고 멋진 검정색 스타킹을 신었다(wear).

6 나는 중요한 내 첫돌(first-birthday) 사진을 찾았다.

7 귀엽고(cute) 까만 눈을 가진(dark-eyed) 소녀가 미소 지었다(smile).

8 그 발명가는(inventor) 우스꽝스럽고(ridiculous) 둥글고, 빨간 플라스틱으로 만든(plastic) 로봇 청소기로(clean-up robot) 방을 청소했다.

동사를 따라다니는 부사

1 부사의 기능

Adverb(부사)는 to verb, 즉 동사를 따라다니는 것을 뜻한다. 이름에 걸맞게 동사를 자세히 보충해 준다. 형용사와 또 다른 부사, 문장 전체도 꾸며 준다. 방법, 시간, 조건, 정도 등의 의미를 담고 있다. 우리말로는 ~하게, ~위해서, ~하니, ~하고서, 하니까, ~하기 때문에 등으로 표현되는 어구다.

We ran

How? (방법)	We ran fast.
Where? (장소)	We ran out.
When? (시간)	We ran yesterday.
Why? (이유)	We ran angrily.

어떻게 달렸을까, 어디서 달렸을까, 언제 달렸을까 같은 내용을 덧붙여서 동사 ran을 구체적으로 설명해 줬다.

2 부사엔 전치사가 붙지 않는다

부사 앞에는 전치사나 관사가 붙지 않는다. 전치사+명사의 기능이 포함되어 있기 때문이다.

I go to my house. (O)

I go home. (O)

I go to home (X)

Home의 뜻은 집이 아니라 집에, 집으로다. 부사이므로 관사나 전치사를 붙이지 않는다.

알아두면 유익한 부사

yesterday(어제에)	tomorrow(내일에)	last year(작년에)	this year(올해에)
next year(내년에)	here(여기에)	there(저기에)	outside(외부에)
inside(내부에)	upstairs(위층에)	downstairs(아래층에)	front(정면에)
back(뒤에)	a lot(많이)	first(처음엔, 먼저)	second(두 번째로)

I will go abroad this year. (o)

I will go abroad in this year. (x)

※ 〈last / this / that / next+시간 명사〉는 부사구다. 전치사를 붙이지 않는다.
※ Each other는 우리말로는 부사지만, 영어로는 명사다.

---

3 부사로 변하는 전치사구

Unit4. 2 〈be 동사+전치사구〉에서 전치사구를 활용한 문장을 살펴 봤다. 이번엔 부사 자리에 전치사구가 온 경우다. 〈전치사+명사〉가 부사가 될 수 있기 때문이다. 단 〈of+명사〉는 종종 형용사 역할을 하는 전치사구다.

I arrived here. (o)
부사
↓
I arrived at the airport. (o)
전치사구

Help Note 1

완전 자동사와 불완전 자동사란?

1. 완전 자동사: 존재(있다의 의미)나 동작을 나타낸다. 뒤에 형용사나 명사가 올 수 없다. 동사를 꾸며 주는 부사는 올 수 있다. Go, come, walk, run, arrive, leave, work, cry 등이 있다.

   Birds sing beautiful. (x) → Birds sing beautifully. (o)
   형용사　　　　　　　　　　　　 부사

2. 불완전 자동사: 동사 뒤에 명사 형용사가 올 수 있다. 주격 보어다. 명사 보어는 주어와 동격이다. 형용사 보어 는 주어의 상태를 설명한다. Grow, get, look, see, turn, become 등이 있다.

   He became tired. (o) 주어의 상태를 설명
   He became a doctor. (o) 주어가 doctor라는 것을 설명

3. 동사는 쓰임에 따라 때로는 완전 자동사로, 불완전 자동사로 변용된다.

   I am here. 부사 here가 왔으므로 완전자동사
   It is right. It의 상태가 right다. 주어를 설명해 주므로 right는 형용사다. 형용사를 받으니 불완전 자동사
   I went outside. 부사 outside가 왔으므로 완전 자동사
   I went hungry. 형용사 hungry가 왔으므로 불완전 자동사

Help Note 2

형용사와 형태가 같은 부사

단어	형용사	부사	단어	형용사	부사
fast	빠른	빠르게	hard	단단한	열심히
early	이른	일찍이 / 초기에	plain	분명한 / 소박한	분명하게
back	뒤에	뒤로	late	늦은	늦게

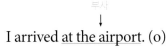 **QUIZ ①**

다음을 주어진 명사와 전치사를 활용해서 〈전치사+명사〉 순으로 영어 어구를 만드시오.

1. 여행(trip)길에서(on)

2. 결혼식(wedding)에서(at)

3. 초록색 제복(uniform)을 입고서(in)

4. 24번지(twenty four)에서(at)

4 예외인 〈of + 명사〉구

대부분의 전치사구는 부사구로 쓰이나, 〈of+명사〉구는 형용사다. 예로 무생물의 소유격을 만드는 of+명사(소유주)는 뒤에서 앞의 명사를 꾸며 준다. 명사를 꾸며 주는 것은 형용사다.

학교의 정문 → 학교 + 의 + 정문 → 정문 + 의 + 학교

→ door of school → the door of school

Of+school은 앞의 명사 door를 꾸며 준다. 형용사 역할을 했다. 〈of+명사〉구를 받는 명사 앞에는 the를 붙인다.

Help Note 3

생물의 소유격 만들기

1. 's 형태를 소유주 뒤에 붙인다. Tom's hands
2. 단어가 -s로 끝날 때는 끝에 '(apostrophe)'만 붙이기도 한다. Ross' hands
3. -s로 끝나는 복수형일 경우에도 끝에 '(apostrophe)'만 붙인다. The girls' class

---

POP QUIZ 2

다음을 무생물의 소유격인 〈the + 명사+of+소유주〉 형태로 만드시오.

1. 서울 사람들(people)   3. 물 한 잔(glass)

2. 10월 31일   4. 시계 바늘(hand)

---

5 Of + 추상 명사도 형용사로 쓰인다

명사 앞에서 명사를 꾸며 주기도 하고, 주어의 상태를 설명하는 보어로도 쓰인다.

You are helpful to me. = You are of help to me.

It is of no use doing. (= useless)

It is of interest. (= interesting)

The love of mother = motherly love   추상적 의미인 모성애

POP QUIZ 3

다음을 주어진 of+추상 명사(=형용사)가 들어간 어구나 문장을 쓰시오.

1. 정직한(honesty) 사람   3. 이 정보는 유용하다(of use).

2. 경력 있는(experience) 직원   4. 중요한 문제(issue/matter)

다음을 부사나 부사구(전치사+명사) 또는 형용사구(of+명사)가 들어간 영어 문장으로 바꾸시오.

소풍날에 비가 왔다.

⇩

주어+동사 순의 의미 덩어리로 나눈다   (It) + 비가 왔다 + 소풍날에   날씨 등은 비인칭 주어 it을 쓴다

⇩

on the picnic day = on the day of picnic   날에는 전치사 on을 쓴다

⇩

각 의미 덩어리를
영어로 바꾸어 정렬한다
It rained on the picnic day
= It rained on the day of picnic.

1 눈에는(for an eye) 눈이지!

2 나는 재학 중(in school)이다.

3 오늘 내 기사가(my news) 신문에(on a newspaper) 났다(be on).

4 이 소파는 이번 시즌에는(this season) 세일(on sale)이 아닙니다.

5 나는 내가 한 말을(my words) 지키는 사람이다.

6 그 사람은 뒤에서(at the back) 더 잘한다(better).

7 우리는 그(that) T 셔츠를(T-shirt) 다양한(various) 사이즈(sizes)와 색상(colors)으로 구비하고 있습니다(have).

8 그는 강인한(of strength) 정신력(a mind)을 지녔다(have).

Unit 8

부사의 위치

1 부사의 기본 위치

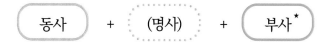

부사는 꾸며 주고 싶은 동사 앞이나 뒤 또는 동사+목적어(명사) 뒤에 온다.

I wrote well. (동사+부사)

I wrote an essay well. (동사+명사+부사)

POP QUIZ 1

다음을 주어진 부사를 사용해서 영어 문장으로 만드시오.

1. 그가 제일 먼저(first) 왔다.

2. 그의 의도는(mean) 좋았다(well).

3. 그들은 큰소리로(loudly) 얘기했다.

2 빈도/정도 부사란?

빈도 부사란 어떤 일이 얼마나 자주 발생하는지를 말해 준다. Always, usually, often, sometimes, occasionally, seldom, rarely, scarcely, hardly ever, never 등이 있다.

정도 부사는 본동사의 행동 정도나 상황 등을 말해 준다. 대부분의 부사가 이에 해당된다. Very, much, definitely, completely, enough, almost, still, suddenly, hastily, just, maybe, perhaps, probably, exactly, certainly 등이 있다.

주어 + be 동사 조동사 + 빈도 부사★ 정도 부사 + 일반 동사 + (명사) + 부사

빈도/정도 부사는 be 동사/조동사 뒤에 일반 동사 앞에 위치한다.

You are already★ late.

I will really sing well.

He sometimes stays in Seoul.

Help Note 1

빈도/정도 부사 활용 시 주의할 점

빈도/정도 부사는 조동사가 아니다. 동사의 격이나 시제 변화에 영향을 미치지 않는다. 단수 3인칭 현재 시제일 경우 본동사 뒤에는 -s/-es를 붙인다. 과거 사실이면 과거 시제를 쓴다.

She studies hard.
She can study hard.
She usually studies hard.

They went to Mt. Halla before
They already went to Mt. Halla before.

★ Already 와 yet의 위치

Already는 긍정문에서 "be 동사, 조동사 뒤에 일반 동사 앞에" 온다. 반면에 yet는 부정문과 의문문에서 주로 문장의 맨 뒤에 온다.

All seats were already booked out. 모든 좌석 예약 매진
I didn't get a letter from my mom yet.

★ No와 not의 위치

1. Not는 부사이므로, 빈도 부사의 순서 "be 동사, 조동사 뒤에 일반 동사 앞에"를 따른다.
   I do not have brothers.
2. No는 형용사이므로 명사 앞에 온다. I have no brothers.

POP QUIZ 2

다음을 주어진 빈도 부사를 사용해서 영어 문장으로 만드시오.

1. 그는 방금(just) 낯선(strange) 편지 한 통을 받았다(receive, get).

2. 우리 엄마는 절대로(never) 늦게 일어나지(get up) 않는다.

3. 그들은 반드시(certainly) 올 것이다.

4 형용사를 꾸며 주는 부사

부사는 동사를 꾸며 주는 것 외에도 형용사 앞에서 형용사의 뜻을 더욱 구체적으로 설명해 준다. How(얼마나), 어느 정도로(to what extent)에 대한 내용이 첨가된다. 형용사를 꾸며 주는 부사는 very, so, much, well, quite, fast, hard, too, highly, more, the most 등 무수히 많다.

It was a clear day.
↓
It was a <u>fairly</u> <u>clear</u> day.
부사 + 형용사

I was late
↓
I was <u>very</u> <u>late</u>.
부사+형용사

다음을 주어진 부사를 사용해서 영어 문장을 만드시오.

1. 우리 아버지는 매우 가정적(home-loving)이다.

2. 그는 매우(very) 큰(large) 회사를(company) 경영한다(have/run).

3. 그 신사는 꽤(fairly) 나이 들어(older) 보인다(look).

5 다른 부사를 꾸며 주는 부사

앞에서 (뒤의) 부사를 꾸며 준다. 'Thank you very <u>much</u>'의 경우, 부사 very가 또 다른 부사 much를 꾸민다.

Tom danced <u>well</u>.
↓
Tom danced <u>extremely</u> <u>well</u>

부사 extremely가 부사 well의 정도를 더 구체적으로 표현한다.

다음을 주어진 부사를 사용해서 영어 문장을 만드시오.

1. 너는 걱정이(worry) 너무(too) 많아(much).

2. 나는 영어를 매우(very) 천천히(slowly) 말했다.

3. 그 소녀는 피아노를 꽤(quite) 잘(well) 친다(play).

다음을 주어진 부사 수식어구가 들어간 영어 문장으로 바꾸시오.

찌증스럽게도(annoyingly), 그 냄새는(the smell) 아주(just) 지독했다(terrible).

의미 덩어리로 나누어 영어 어순으로 바꾼다 ⇩ 서술 형용사가 올 때는 동사를 be 동사로 잡는다.

찌증스럽게도(annoyingly)+그 냄새는(the smell)+be 동사+ 아주(just)+지독하다(terrible)

각 의미 덩어리를 영어로 바꾸어 정렬한다 ⇩

Annoyingly, the smell was just terrible.

Help Note 2

부사(구)가 문장 맨 앞에서 문장 전체를 꾸며줄 때가 있다.

<u>Luckily, I arrived at the station on time</u>.

부사 luckily로 인해 뒤의 내용 전체가 다행스럽다는 뜻을 드러낸다.

1 그 영화는 너무(really) 재미없었다(boring).

2 아쉽게도(sadly), 그녀는 종종(often) 너무(too) 많이(many) 좋은(good) 기회를(chances) 놓쳤다(miss).

3 이따금씩(occasionally) 적은 월급을 받는(poorly paid) 사회 복지사가(social worker) 나를 도와 줬다 (help).

4 그렇게(too) 끔찍스럽게(terribly) 추운(cold) 아침은 아니었어.

5 그 소년은 이제 고작(barely) 12살이 되었어(turn/be).

6 난 허리가(my back) 여전히(still) 너무(too) 아프다(painful).

7 그녀는 집을 너무(too) 많이(much) 비운다(stay/be).

8 놀랍게도(surprisingly), 그 사이클 선수는(bicycle racer) 세계 선수권 대회(at a world championship) 에서 매번(always) 매우 빨리 달렸다(pedal).

2어 동사의 위치

1 2어 동사란?

동사가 부사와 만나 다른 뜻을 갖게 된 경우다. 두 단어로 이뤄져서 2어 동사라 한다.

$$\underline{put} + \underline{on} = \underline{put\ on}$$
동사 + 부사   2어 동사

Put(놓다/두다)라는 타동사와 on(위에)라는 부사를 합쳐 위에 놓다라는 뜻이 된다. 즉, 우리 몸 위에 놓는 행동, 입다(put on)라는 뜻이 된다.

2 2어 동사 만들기

타동사와 부사를 합쳐 만드는 2어 동사의 합성 과정을 알아두면 손쉽게 응용해서 사용할 수 있다.

1. 부사 중심으로 2어 동사 만들기

    부사는 고정시키고 동사만 바꾸면서 2어 동사를 만든다.

★ **Out** (밖으로 / 밖에)

    Out는 안에서 바깥으로 나가는 방향, 위치를 의미한다.

take out	일시적으로 손에 쥐고 나가는 것 → 꾸장해 가다, 배달하다
eat out	먹다+바깥에 → 바깥에서 먹다 → 외식하다
stay out	머물다+바깥에 → 바깥에서 머문다 → 외박하다
night out	밤+바깥에 → 밤에 바깥에 있다 → 밤 외출하다
ask out	바깥에 나가겠냐고 묻다. (왜 굳이 물을까?) → 데이트 신청하다
go out	가다+바깥에 → 밖으로 나가다, 외출하다, 교제하다
carry out	나르다+바깥에 → 바깥에 드러나도록 나르는 것 → 수행하다, 실행하다
turn out	돌리다+바깥에 → (방향을 바꾸는 것은 상태가 반대가 되는 것)
	켜놨던 스위치가 반대가 되니까 불 등을 끄다, 모습을 드러내다, 결과적으로 ~하다.
make out	손으로 조작해서+내놓다 → 성취하다, (뜻이 확대되어) 이해하다
say out	말하다+바깥으로 → 터놓고 말하다
put out	놓다+바깥으로 → 내놓다
come out	오다+바깥으로 → 바깥으로 나오니까 생산되다, (떨어져) 나오다, (꽃 등이) 피다

2. 동사 중심으로 2어 동사 만들기

동사는 고정시키고 부사만 바꾸면서 2어 동사를 만든다.

★ Take (다른 곳으로 가지고 가다/ 잡다/ 빼앗다)

동사 take는 '일시적으로 잡는 것'이다. 이에 여러 부사가 붙으면서 뜻이 달라진다.

take away	잡아서 멀리(away) 보내니 → 가져가다, 치우다
take off	잡아서 멀리(away=off) 보내니 → 제거하다, 옷 등을 벗다, 체중을 줄이다
take back	잡아서 본래 자리로 보내니(back) → 도로 찾다, 철회하다, 반품하다
take down	잡아서 아래로 보내니(down) → 내리다, 무너뜨리다, 넘어뜨리다, 적어 놓다
take up	잡아서 위로 보내니 → 집어 올리다, 들어 올리다, 차지하다, 차에 손님을 태우다
take in	잡아서 안으로 보내니 → 섭취하다, 안으로 들이다, 옷기장을 줄이다, 또 잡아서 안으로 슬쩍 집어넣는 뜻으로 '속이다'
take over	Over엔 '다른 쪽으로 넘겨'의 뜻이 있다. 남의 것을 받으니까 → 인계 받다, 떠받다, 대신하다
take together	'합쳐 잡다'니까 → 하나로 합쳐 생각하다, 함께 ~ 하다

POP QUIZ 1

다음의 주어진 동사에 down(아래로, 아래에)을 붙여 뜻을 유추하시오.

1. jump + down

3. fall + down

2. put + down

4. lie + down

POP QUIZ 2

다음의 주어진 동사에 up(위로, 위에)을 붙여 뜻을 유추하시오.

1. look + up

3. jump + up

2. walk + up

4. put + up

POP QUIZ 3

다음을 동사 give에 주어진 부사를 붙여 뜻을 유추하시오.

1. give + up

3. give + out

2. give + in

4. give + away

3 2어 동사의 위치

어순은 타동사 뒤에 목적어(명사)를 놓고, 뒤이어 부사를 놓는다.

| 주어
I | + | 2어 동사[*]
put | + | 인칭 대명사의 목적격/(목적격용) 일반 명사
it/ a dress | + | 2어 동사용 부사[*]
on |

단, 목적어가 대명사의 목적격(me, them...)이 아닐 때는 부사 뒤에 와도 무방하다.

| 주어
I | + | 2어 동사[*]
put | + | 2어 동사용 부사[*]
on | + | (목적격용) 일반 명사
a dress |

4 2어 동사를 이용한 문장 만들기

나는 모자를 벗었다

영어 어순으로 바꾼다 ↓ 적절한 2어 동사를 찾는다

나는 + 벗었다 take off + 모자를

영어로 바꾸어 어순대로 정렬한다 ↓ 시제를 맞춘다

I took off a hat. = I took a hat off.

P O P Q U I Z 4

다음을 주어진 2어 동사를 사용해서 영어 문장으로 만드시오.

1. Seulgi는 그녀에게 다시 전화했다(call back).

2. 그녀는 스웨터를 입어봤다(try on).

3. 그는 프린터를 껐다(turn off).

4. 괄호의 빈칸을 채우시오(fill in).

5. 이 서류 항목을 기입하시오(fill out).

6. 휘발유를 가득 채워 주시오(fill up).

다음을 2어 동사 어구가 들어간 영어 문장으로 바꾸시오.

선생님은 내가 틀린 맞춤법 몇 개를(some of my wrong spellings) 지적했다(point out).

의미 덩어리로 나누어 영어 어순으로 정렬한다 ⇩

선생님은 + 지적했다 + 내가 틀린 맞춤법 몇 개를

각 의미 덩어리를 영어로 바꾼다 ⇩

The teacher + pointed out + some of my wrong spellings.

바꾼 영어를 정렬한다 ⇩

The teacher pointed out some of my wrong spellings.
= The teacher pointed some of my wrong spellings out.

1 나는 책을 도서관에(to the library) 반납했다/되돌려 줬다(give back).

2 그는 자기 약속을(the promise) 실천했다(carry out).

3 어제, 비서는(assistant) 서류를(the papers) 사장(the president) 책상 위에 다시 갖다 뒀다(put back).

4 그 아르바이트생은(the working student) 손님(customers) 식탁에서(table) 접시를 치웠다(clear).

5 우천으로(the rain) 소풍이 취소됐다(call off).

6 나는 영어 사전에서 'construction'을 찾아봤다(look up).

7 그 여행은(the trip)은 열흘이나 걸렸다(take up).

8 어버이날엔(The Parents' Day) 부모님께(the parents) 카네이션을(carnation corsages) 달아드린다 (put on).

Unit 10

순서가 있는 부사 + 여섯 항목에 적용하기

1 〈방법 + 장소 + 시간〉 / 〈장소 + 방법 + 시간〉

부사가 여러 개 나오면 순서대로 써야 한다. 공통적으로 시간을 제일 나중에 쓴다.

주로 방법(how)+장소(where)+시간(when) (방장시) 순으로 쓴다.

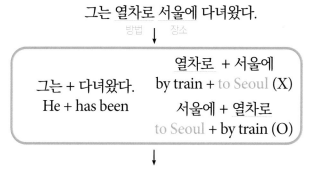

He has been to Seoul by train + to hold a memorial service.

때로 장소+방법+시간(장방시)+이유 순으로 쓴다.

POP QUIZ 1

다음을 〈방법+장소+시간〉 순서대로 문장을 만드시오.

1. 나는 한밤중에(at midnight) 잠자리에서 깨어 있었다(be up).

2. 나는 학기 중에는(during the semester) 매일 아침 제시간에(in time) 학교에 간다.

3. 그는 일 년 내내(all year round) 그 식당에서만(only) 점심을 먹는다.

044

2 여섯 항목의 기본 형태

Unit 1에서 주어(1번)+동사(2번)+명사/형용사(3번) 구조에 번호를 붙여 문장 구성 순서를 익혔다. 이번에는 부사를 의미 덩어리로 분류하여 방법 4번, 장소 5번, 시간 6번 순으로 놓는다. 방법과 장소를 바꿀 수도 있다.

$$⑥^{\star} \text{시간} + ① \text{주어} + ② \text{동사} + ③ \text{명사 형용사} + ④ \text{방법(장소)} + ⑤ \text{장소(방법)} + ⑥ \text{시간}$$

★6번인 시간은 맨 앞에 놓을 수도 있다.

3 여섯 항목의 활용 요령

우리말 문장을 영어 문장으로 바꿀 때 다음과 같은 순서로 번호를 매긴 후 영어 어구 덩어리로 바꾼다.

a. 영어 어구에 어울리게 문장을 끊는다.
b. 동사(2번)과 그 주어(1번)를 찾는다.
c. '무엇을'과 '누구를'에 해당되는 어구(목적어)를 찾는다(3번). 목적어가 없을 경우, 주어와 동격인 명사나 주어의 상태를 설명하는 형용사가 있으면 그 자리에 놓는다.
d. 나머지를 찾는다. 의미 덩어리 별로, 방법(4번)+장소(5번)+시간(6번)의 순으로 나눈다.
e. 번호별로 나열 후 그 어구 단위를 영어로 바꾼다. 시제와 단/복수, 구두점 등에 유념한다.

여섯 항목의 순서 적용 연습

나는 탐을 위해서 네 시에 '마린'에다 예약해(a reservation) 놨다.
① ④ ⑥ ⑤ ③ ②

→ I made a reservation for Tom at Marine at four o'clock.
① ② ③ ④ ⑤ ⑥

a. 나는은 주어니까 1번이다.
b. 탐을 위해서의 경우 딱히 넣을 항목이 없다. 이렇게 애매할 경우 4번에 넣는다.
c. 네 시에는 시간(6번), 마린은 장소(5번)으로 놓는다.
d. 예약해 놨다는, 예약은 a reservation이다. 목적어 3번에 놓는다.
e. 예약을 한다는 것은 예약을 만드는 것이니까 동사를 make/made(2번)로 한다.

POP QUIZ 2

다음을 여섯 항목에 바탕 해서 영어 문장으로 만드시오.

1. 나는 TV에서 방영하는(on TV) 영화를 (the movie)재미있게(enjoy) 보지 못했다.

2. 나는 2000년(in 2000) 겨울(in winter), 아주(very) 흐린(cloudy) 날 서울에서 태어났다(be born).

4 수식어가 많은 문장은 동사 수만큼 문장을 만든다

수식어가 들어가서 복잡해 보이는 문장도 여섯 항목의 순서에 적용시켜서 바꾸면 쉽다.

> 내게는 매우 세련되고(sophisticated) 예쁜 데다, 고전적(classical) 미술 작품(art)을 애호하고(love), 누나가 시를(poetry) 낭송할(recite) 때면 내 마음이(my heart) 녹아드는(melt) 그런 큰 누나가 있다.

1. 주어와 동사의 수만큼 문장을 나눈다.
   a. 우리 큰 누나는(my big sister) 매우 세련되고(sophisticated) 예쁜 데다, 고전적(classical) 미술 작품(art)을 애호한다(love).
   b. 누나가 시(poetry)를 낭송할(recite) 때면 내 마음이(my heart) 녹아든다(melt).

---

a. 우리 큰 누나는 (my big sister) 매우 세련되고(sophisticated) 예쁜 데다, / 고전적 (classical) 미술 작품 (art)을 애호한다(love).

1) 위 문장은 동사가 be 동사와 일반 동사 두 개다. 두 문장으로 나눌 수 있다.

   A 문장 : <u>우리 큰 누나는</u> (my big sister) <u>매우 세련되고(sophisticated) 예쁜 다</u>.
   　　　　　　① 　　　　　　　　　　　　　　　　③ 　　　　　　　　　②

   B 문장 : <u>고전적 (classical) 미술 작품(art)을 애호한다</u>(love).
   　　　　　　　③ 　　　　　　　②

   1-A) A문장은 두 가지 형태로 만들 수 있다.
   　　My big sister is sophisticated and beautiful.
   　　I have a sophisticated and beautiful big sister.

   1-B) B문장의 동사는 'love'다.
   　　She loves classical art.

2) 두 문장을 연결한다. 첫 번째 문장을 두 가지 형태로 만들었으니까 두 가지로 나올 수 있다.

   My big sister is sophisticated and beautiful. She loves classical art.
   I have a sophisticated and beautiful big sister. She loves classical art.

b. 누나가 시(poetry)를 낭송할(recite) 때면 내 마음이(my heart) 녹아든다(melt).

위 문장 역시, 주어와 동사가 두 개씩이다.

A 문장 : <u>누나가 낭송하고</u> + 시를 = My sister/She recites poetry
　　　　　 주어 　+ 동사

~할 때마다라는 의미가 포함되어 있으니까 'when'이나 'everytime'을 문장 앞에 넣어 준다.

B 문장 : 내 마음은 <u>녹아든다</u>. = my heart is melted. = she makes my heart melted.
　　　　　 주어　 + 동사

Melt가 타동사이므로 목적어 없는 자동사로 만들려면 수동태로 만든다(unit2, help note3 참조). 또는 주어를 앞 문장과 같은 she로 잡아도 된다.

---

2. 모두 붙여 완성한다.

I have a big sister. She is sophisticated and beautiful. She loves classical art. When she recites poetry, my heart is melted.

다음을 여섯 항목 분류를 활용해서 영어 문장으로 바꾸시오.

나는 손거울로 이웃 친구의 집에 햇빛을 반사시켰다.

⇩

나는(1번) + 반사시켰다(2번, reflected)

주어(1번)와 동사(2번)를 찾는다   ⇩   우리말 문장 맨 마지막에 있는 동사가 주어와 연결되는 본동사다.

햇빛을(sunlight)

목적어(3번)를 찾는다   ⇩

손거울로 친구네 집에

나머지를 방장시/장방시 순으로 나열한다   ⇩   방법+장소+시간 순으로 정렬한다.

손거울로는 도구를 이용한 방법이므로 with, 손거울은 셀 수 있으므로 관사를 붙여 with a hand mirror. 이웃 친구의 집에는, 햇볕이 그 집안으로 들어갔으므로 into. 이웃 친구의 집은 소유격 's를 붙인다. 'into my friend's house next door'

순서대로 배열한다   ⇩

I reflected sunlight into my friend's house next door with a hand mirror.

---

1 봄 소풍을 나온(on a spring picnic) 학생들이 열차에서 큰 소리로(loudly) 떠들었다(talk).

2 어떤 노인이(a senior citizen) 버스에서 내 앞에(before me) 앉아 있었다.

3 Boram은 방금 전에(just now) 서둘러서 회사에(for the job) 입사 지원서를 냈다(apply).

4 친구와 나는 함께 수업 시간에(class) 교실로 걸어 들어갔다(walk into).

5 우리 부모님은 내 뒤로(after me) 줄줄이(in a row) 세 명의 자녀를 두셨다(have).

6 토요일 연설 중에(during the speech) 그는 심하게(violently) 재채기를 했다(sneeze).

7 햇볕은 그의 둥글넓적한 얼굴(broad-round face)과 납작한 코(a flat broad nose), 쪽 찢어진 눈(slanting-narrow eyes)을 비추었다(lighten).

8 그는 촌스럽게(like a hick) 말하고(speak, sound), 너무 헤벌쭉하게(too openly) 자주(and often) 히죽거렸다(grin).

동사가 명사가 되는 법

1 To부정사란?

품사(기능)가 정해지지 않은 것이다. 쓰임새에 따라 명사나 형용사, 부사가 된다. **명사적 용법, 형용사적 용법, 부사적 용법**이라 부른다. 동사 원형이나 그 앞에 to를 붙여 표현한다. 부정사를 부정할 때는 부정사 앞에 not 를 붙인다.

> to + make(만들다) = to make   만드는 것, 만들기 위해서... 등
>
> not + to make = not to make   만들지 않는 것, 만들지 않으려... 등

1) 주어와 목적어로 쓰였다면 명사 역할을 했으므로 명사적 용법이다. -것은/-것을로 해석한다.

> To be healthy is a very important thing for a long life.   건강한 것은 장수에 매우 중요하다.
> 주어로 쓰였다.
>
> I want to live long.   나는 오래 살기를 원한다.
> 목적어로 쓰였다.

2) 명사를 꾸며 주거나, 주어와 목적어의 보어로 쓰였다면 형용사적 용법이다. -한/-할로 해석한다.

> I don't have any place to live in.   나는 살 집이 없다.
> 명사 place를 꾸며 줬다.
>
> I am to go.   내가 가게 되어 있다.
> 주어의 상태가 to go다. Be 동사 뒤의 to부정사는 예정, 운명, 가능, 의도, 의무를 뜻한다.
>
> He is my husband to-be.   그는 예비 신랑이다.(예정)
> 명사 my husband를 꾸며 줬다.

3) 동사, 형용사, 부사, 문장 전체를 꾸며 주면 부사적 용법이다. 목적(-하러), 원인(- 때문에), 이유(-하니까), 결과(-하고서) 등의 의미를 가진다.

> He was to see my family.   그는 우리 식구들을 만나러 왔다.(목적)
>
> I am happy to hear you won the runner-up in the beauty pageant.   네가 미인대회에서 선을 했다니 기쁘다.(원인, 이유)
>
> These boxes are too heavy to lift.   이 상자가 너무 무거워서 들 수가 없다.(결과)
>
> To be honest, I was into a computer game.   사실은, 컴퓨터 게임에 빠져 있었다.(문장 전체 수식)

2 To부정사의 명사적 용법이란?

문장 속에서 명사 자리(주어, 동격 보어, 목적어, 전치사의 목적어, 동격어)에 쓰인다.

★ 명사적 용법의 예

　To부정사가 문장 속에서 명사 자리에 놓이는 것이다. '~ 것' 으로 해석한다.

〈주어 자리에 to부정사가 온 예〉

주어-명사 (-은, 는, 이, 가)	동사	형용사(보어)	방법	장소	시간
To smoke	is	harmful		for our health.	

담배를 피우는 것은 건강을 지키는데 해롭다.

To smoke가 주어로 쓰였다.

POP QUIZ 1

다음을 위의 방법처럼 to부정사가 주어 자리에 들어간 영어 문장으로 바꾸시오.

1. 사탕을 먹는 것은(to eat candy) 배고픔을(hunger) 누그러뜨린다(ease).

2. 숙제를 하는 것은(to do homework) 공부를 잘하는 첫걸음(first step)이다.

3. 집을 청소하는 것은(to clean a house) 의료비를(medical expenses) 줄이는(cut) 것이다(help).

〈주격 보어 자리에 to부정사가 온 예〉

주어-명사 (-은, 는, 이, 가)	동사	주격 보어(명사)	방법	장소	시간
The best way to get over your cold	is	to relax.			

감기 회복에 제일 좋은 방법은 휴식하는 것이다.

주어=주격 보어. 이때 동사는 be 동사를 쓰면 좀 더 쉽다.

POP QUIZ 2

다음을 위의 방법처럼 to부정사가 보어 자리에 들어간 영어 문장으로 바꾸시오.

1. 영어를 말하는 것은 영어를 아는 것이다.

2. 건강해지는 것은 행복해지는 것이다.

3. 집을 청소를 하는 것은 몸을 씻는 것과 같다(be like).

〈목적어 자리에 to부정사가 온 예〉

주어-명사 (-은, 는, 이, 가)	동사	목적어-명사 (-을, -를)	방법	장소	시간
I	want	to swim		well.	

나는 수영 잘 하는 것을 원한다.

To swim이 동사 want의 목적어가 되었다.

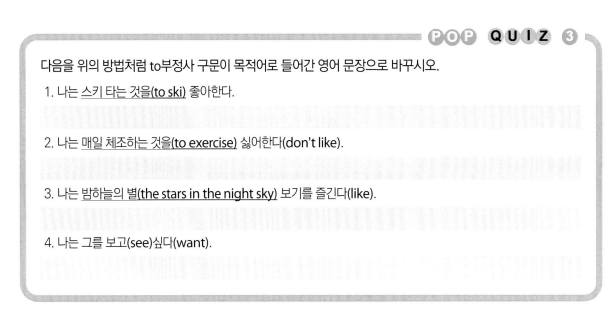

POP QUIZ 3

다음을 위의 방법처럼 to부정사 구문이 목적어로 들어간 영어 문장으로 바꾸시오.

1. 나는 스키 타는 것을(to ski) 좋아한다.

2. 나는 매일 체조하는 것을(to exercise) 싫어한다(don't like).

3. 나는 밤하늘의 별(the stars in the night sky) 보기를 즐긴다(like).

4. 나는 그를 보고(see)싶다(want).

〈목적격 보어 자리에 to부정사가 온 예〉

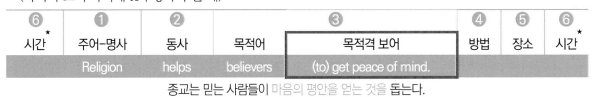

시간*	주어-명사	동사	목적어	목적격 보어	방법	장소	시간*
⑥	❶	❷		❸	❹	❺	⑥
	Religion	helps	believers	(to) get peace of mind.			

종교는 믿는 사람들이 마음의 평안을 얻는 것을 돕는다.

목적어 believers의 상태를 설명했으므로, get peace of mind가 목적격 보어가 되었다.

POP QUIZ 4

다음을 위의 방법처럼 to부정사 구문이 목적격 보어로 들어간 영어 문장으로 바꾸시오..

1. 나는 네가 기차 놓치는 것(miss)을 싫어한다(don't like).

2. 사람들은 그 금메달리스트(the gold medal winners)가 정부로부터 보상금을 받는 것에(receive the bonus from the government) 찬성했다(agree for).

3. 나는 네가 내 말을(what I said) 들으라는(hear) 뜻은(mean) 아니었다.

4. 나는 거울이 사물을 잘(clearly) 비추도록(reflect) 닦았다(clean).

다음을 여섯 항목 분류를 활용해서 to부정사가 포함된 영어 문장으로 바꾸시오.

나는 새 차를 사지 않기로 결정했다.
①   ③   ②

'사지 않다'가 decided의 목적어가 된다. 부정사 부정은 not+to+동사 원형 순이다.

⇩

I decided not to buy a new car.
①   ②   ③

나는 그가 성공하기를 희망한다.
①   ③   ③-④   ②

To succeed는 him의 상태를 설명해주는 보어이므로 3-4번에 놓는다.

⇩

I expect him to succeed.
①   ②   ③   ③-④

---

1 게임에 이기려면(to win~), 점수를(points) 더 많이 내야한다(need to score).

2 창백해 보이는 것은(to be pale) 병의 징조(a sign of illness)일 수 있다(may be).

3 첨단 기기(a high-tech device)를 조작하는(handle) 것은 시대를(the generation) 따라갈 줄(how to follow) 아는 것이다(know).

4 날짜를(dates) 세는(count) 것은 뭔가를(something) 기다리는(wait for) 것이다.

5 다른 사람에게(to others) 내 명함을(business card) 건네는(hand) 것은 나를 소개하는(introduce) 것을 의미한다.

6 나는 황사(yellow dust) 때문에(because of) 창문을 열지 말아야 할 것을 깜빡했다(forget to do).

7 나는 결혼식에서(at wedding) 건배(a toast) 제의하는 것을(propose) 좋아한다.

8 나는 게으름 피우는(be lazy) 것을 싫어한다.

형용사가 되는 동사

1 To부정사의 형용사적 용법이란?

To부정사의 형용사적 용법이란 동사가 형용사 역할을 하는 경우다. 주격 보어, 목적격 보어, 명사 수식어로 쓰인다.

★ 서술적 용법(주격 보어)의 예

동사 뒤의 형용사가 명사(주어)의 상태를 설명해 준다. ~한, ~할로 해석한다.

I am <u>pretty.</u>   I의 상태가 pretty 하다
↓   ↓   ↓
I am <u>to be back.</u>   나는 돌아갈 예정이다. I의 상태가 to be back의 상황

★ 한정적 용법의 예

<u>먹을</u>(eat) <u>음식</u>(food) → <u>food</u> to eat

동사 먹다가 to부정사로 변해 앞의 명사food(목적어)를 꾸며 줬다.

형용사적 부정사구 만드는 법

1. 명사를 꾸며 주는 수식어 중에서 동사를 찾아서 to+동사 원형으로 만든다.
2. 명사 뒤에 붙인다.

<u>할</u>(do) <u>일</u>(a job) → a job to do

일을 꾸며 주는 하다가 동사다. 동사 do를 to do로 만들어 명사 a job 뒤에 붙였다.

POP QUIZ 1

다음을 〈명사+to부정사〉가 들어간 영어 어구로 바꾸시오.

1. 쓸(write with) 도구(a pen)

2. 살(live in) 집(a house)

3. 앉을(sit on) 의자(a chair)

4. 치를(take) 시험(a test)

2 형용사적 용법의 문장 만들기 요령

1. 여섯 항목 순으로 배열한 다음 영어로 바꾼다.
2. 명사를 꾸며 주는 동사 원형에 to를 붙여서 그 명사 뒤에 붙여 준다.

★ 형용사적 용법의 예

To부정사의 꾸밈을 받은 명사는 주어나 목적어로 쓰인다.

주어-명사 (-은, 는, 이, 가)	동사	명사/서술 형용사	
The book to read	is	very thick.	(주어로 쓰인 예)
읽을 책은 매우 두껍다.			
I	bought	a book to read.	(목적어로 쓰인 예)
나는 읽을 책을 샀다.			

목적어로 쓰인 문장 만들기의 예

나는 어제 학교에서 새로(new) 배울 교과서를 받았다.
① ⑥ ⑤ ↓ ↘ ③ ②

나는 + 받았다 + 새로 배울 교과서를 + 학교에서 + 어제
↓ A

I got new textbooks to learn at school yesterday.
A

주	동	명	방	장	시간
I	got	new textbooks to learn		at school	yesterday.

새로 배울 교과서가 분리되지 않고 덩어리째 목적어로 쓰였다.

P O P QUIZ 2

다음 문장을 위의 방법처럼 〈명사+to부정사〉 구문이 목적어로 들어간 영어 문장으로 바꾸시오.

1. 나는 공부 시간에(in class) 쓸 펜을 찾았다.

2. 나는 살 집을 찾아다녔다(look for).

3. 나는 걸터앉을 의자가 없다.

4. 나는 2월에 치를 중요한 시험이 있다.

새로 배울 교과서는 표지가 하얗다.
A=①   ③ + ②

↓   표지가는 목적어다. 교과서가 표지를 가졌다는 개념으로 풀어낸다.

새로 배울 교과서는 + 가졌다 + 하얀 표지를
A=①   ②   ③

↓   배우다는 동사다. To부정사로 만들어서 교과서 뒤에 붙인다.
명사+부정사를 덩어리째 주어 자리에 놓는다.

The new textbook to learn has a white cover.
A=①

주	동	명	방	장	시
The new textbook to learn	has	a white cover.			

다음을 위의 방법처럼 〈명사+to부정사〉 구문이 주어로 들어간 영어 문장으로 바꾸시오.

1. 공부 시간에 쓸 펜은 빨강색이다.

2. 고향에서 살 집은 초가집(a thatched cottage)이다.

3. 걸터앉을 의자는 등받이가 없는 의자(a stool)다.

4. 2월에 볼 시험은 나를 떨리게(nervous) 만든다.

Help Note

목적어 속에 목적어가 있는 이중 목적어

너는 '예'나 '아니오'라고 말하는 것이 귀찮구나.

a. 주어(1번)와 동사(2번)를 찾는다 : 너는 + 귀찮구나

b. 목적어(3번)를 찾는다 : 예나 아니오라고 말하는 것(을) → 말하는 것 + 예나 아니오(를)
목적어 말하다의 목적어가 또 있다. 예나 아니오다.
이를 이중 목적어라고 한다.

c. 정렬한다 : 너는 + 귀찮구나 + 말하는 것 + 예나 아니오

d. 영어로 바꾼다 :

⑥ 시간★	① 주어-명사(-은,는,이,가)	② 동사	③ 목적어-명사(-을, -를)	④ 방법	⑤ 장소	⑥ 시간★
	You	are bothered	to say yes or no. say의 목적어			

다음을 여섯 항목 분류를 활용해서 to부정사의 형용사적 용법이 포함된 영어 문장으로 바꾸시오.

요즘은 <u>들을만한 음악이</u>(music to listen to) <u>없다</u>.
⑥ ① ②

There is ~ 용법을 활용하면 쉽다. There is ~는 we have ~나 they have ~ 로 바꾸어 쓸 수 있다.

번호대로 정렬한 뒤 영어로 바꾼다 ⬇

<u>There is no music to listen to now.</u> = We don't have any music to listen to now.
유도부사 ② ① ⑥

- -

<u>상영할 영화는</u>(the movie to start) <u>나를 설레게</u>(excited) <u>했다</u>(make).
① ③ ②

번호대로 정렬한 뒤 영어로 바꾼다 ⬇

The movie to be screened도 가능하다.

<u>The movie to be shown made me excited.</u>
① ② ③ ④

1 나를 도울(help me) 친구(a friend)가 생겼으면 좋겠다.

2 나를 도울 친구는 인생의 큰 자산(a big fortune)이다.

3 냉장고에(in the refrigerator) 먹을 것이(things to eat) 많다.

4 나는 뷔페 식당에서(at a buffet restaurant) 접시에(plate) 먹을 것을 수북이 담았다(fill).

5 분명히(definitely) 고려해(think about) 볼 만하다.

6 나는 장대(a pole)로 나무에서 딸(pick up) 사과를 흔들었다(shake).

7 나무에서 딸 사과가 잘 익었다(be ripe well).

8 연습(practice)은 언어(language)를 배우는(learn) 효과적인 방법(effective ways) 중 하나다.

Unit 13

부사가 되는 동사

1 To부정사의 부사적 용법이란?

To부정사의 부사적 용법이란 부사 역할이다. 즉 동사, 형용사, 다른 부사, 문장 전체를 꾸며 주면서 목적(-하러), 원인(- 때문에), 이유(-하니까), 결과(-하고서) 등의 의미를 가지는 경우다. 어순이, 시간,+주어+동사+명/형+장+방(to부정사구) 순이 되기도 한다. Now, I live <u>in Seoul to go to school</u>.

I am here to stay. 여기 머물러 왔다. (목적)

I am pleased to see you. 당신을 다시 만나니 기쁩니다. (원인, 이유)

This novel is too hard to understand. 이 소설은 너무 난해해서 이해하기 어렵다. (결과)

You will be punished to do it again. 다시 한 번만 또 그러면 처벌받을 것이다.(조건)

To be happy, I made a home. 행복해지려, 가정을 꾸렸다. (문장 전체 수식)

To부정사의 부사적 용법이 쓰인 예

<u>그의 말만 들으면</u> <u>사람들은</u> <u>그를</u> <u>바보로</u> <u>여길 것이다</u>(think).
④ ① ③ ③-④ ②

a. 주어와 동사를 찾는다 : 사람들은(1번) + 여길 것이다(2번)
b. 목적어를 찾는다 : 그를(3번)
c. 목적격 보어를 찾아 목적어 뒤에 놓는다 : 바보로
d. 남는 것을 찾는다 : 그의 말만 들으면(4번 – to부정사의 부사적 용법)
e. 여섯 항목에 적용시킨다 :

⑥ ★ 시간	① 주어-명사	② 동사	③ 목적어	③ 목적격 보어	④ 방법	⑤ 장소	⑥ ★ 시간
	They	would think	him	a fool	to hear his talk.		

'그의 말만 들으면'이라는 어구 자체를 to부정사로 바꾼다. 주절의 동사는 가정의 의미를 담고 있으므로 조동사 would를 넣었다. 주어는 일반인을 지칭하는 we, they 등을 썼다.

목적의 의미로 쓰인 to부정사의 예: ~ 하기 위해서

⑥ ★ 시간	① 주어-명사	② 동사	③ 명사	④ 방법	⑤ 장소	⑥ ★ 시간
	I	like	to swim swimming	to keep in shape.		
	나는		수영을 즐긴다	몸매 유지를 위해서		

To keep in shape가 '~하기 위해서'라는 목적의 의미로 쓰였다.

조건의 의미로 쓰인 to부정사의 예: ~ 한다면

⑥ ★ 시간	① 주어-명사	② 동사	③ 목적어	목적격 보어	④ 방법	⑤ 장소	⑥ ★ 시간
	You	will wonder	him	an artist	to see his works.		
	너는	궁금해 질 것이다	그가	화가인지	그의 작품을 보면		

To see his works가 '~ 한다면'이라는 조건의 의미로 쓰였다.

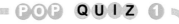

POP QUIZ ①

다음을 위의 방법처럼 to부정사의 부사적 용법이 들어간 영어 문장으로 바꾸시오.

1. 당신에게 도움이 된다면(to help you) 나는 매우 기쁠(happy) 거야(would be).

2. 그는 지금 시험 칠 (take a test) 시간이 있다(be free).

3. 나는 다시 한 번 기회를(a chance) 얻는다면(have) 어떤 힘든 일도(anything tough) 할(do) 것이다.

4. 나는 활화산(active volcano) 꼭대기에(the top) 올라가서(go up) 분화구(the crater) 안을 들여다보고(look into) 싶다.

결과적인 의미로 쓰인 to부정사의 예: ~ 한 결과 ~됐다

주어	동사	명사/형용사	방법	결과 부사	시간
I	got		up	to learn there was lots of snow at my door.	
				일어나서야 알았다 집 앞에 눈이 많이 쌓인 것을	

행동 순서를 앞에서부터 뒤로 순차적으로 이해한다. *p. 73, help note 참조

Too + 형용사 + to부정사로 쓰인 예: 너무나 ~ 해서 ~ 할 수가 없다

~ <u>too</u> + 형용사 + <u>to</u>부정사
     ↷ ③ ↷ ④

보통 too~to 용법이라 부른다. 뒤의 **to**부정사 구문이 생략되어도 **'too'**가 붙으면 부정적 의미로 쓰인다. ★
too-to 용법 이하를 '~하기 위해서~'라는 (목적의 의미)로 이해하지 않도록 주의한다.

주어	동사	형용사	방법	장소	시간
The mountain	Is	too high	(to go up).		
		그 산은 너무 높아서 (올라갈 수가 없다).			

Too는 형용사 high를 꾸며 주는 부사다.

~ enough to + 동사 원형으로 쓰인 예: ~ 하기엔 충분히 ~ 하다

Too~to 용법이 부정적 의미로 쓰인다면 enough to+동사 원형은 긍정적 의미로 쓰인다. Enough는 명사만 앞에, 동사, 형용사, 부사를 수식할 땐 뒤에 온다.

Is there enough <u>room</u> for me? 제가 들어갈 공간이 있나요? 명사 수식

They <u>trained</u> enough for the game. 그들은 게임을 위해 충분히 훈련했다. 동사 수식

You are not <u>old</u> enough for a senior discount card yet. 경로 우대권을 받을 나이가 아니다.
형용사 수식

<u>Luckily</u> enough, I am alive. 운 좋게도 나는 살아있다. 부사 수식

주어	동사	명사	방법	장소	시간
I	have	enough money	to buy that car.		

돈이 명사라 enough가 앞에 왔다.

POP QUIZ 2

다음을 위의 방법처럼 to부정사의 결과적 의미가 들어간 영어 문장으로 바꾸시오.

1. 그는 그런 일을(such a thing) 하기엔(do) 너무 어렸다(young).

2. 반바지만 입고서(in some shorts) 외출할(go out) 만큼 날씨가(it) 따뜻하지 못하다.

3. 보람은 학교에 갈만큼 (충분히) 나이가 들지(old) 않았다.

★ It is 형용사 for 목적격 to+R

단, 사람 감정을 나타내는 형용사(nice, kind, thoughful)가 오면, 전치사를 for 대신 of를 쓴다.

주어	동사	명사/형용사		방법	장소	시간
It	is	hard	for me	to read this English poem.		

Hard는 감정을 나타내는 말이 아니므로 의미상 주어를 이끄는 전치사로 for가 왔다.

주어	동사	명사/형용사		방법	장소	시간
It	is	nice	of you	to visit me.		

Nice는 감정을 나타내는 형용사이므로 you 앞에 전치사 of를 뒀다.

POP QUIZ 3

다음을 위의 방법처럼 〈It is 형용사 for/of 목적격 to+R〉 용법이 들어간 영어 문장으로 바꾸시오.

1. 이것은 너한텐 결정하기(to decide) 쉬운(easy) 일이었다.

2. 너와 한 팀이 돼서(team up with) 기뻤다(pleased).

다음을 여섯 항목 분류를 활용해서 to부정사의 부사적 용법 문장으로 바꾸시오.

선반에 닿기엔 내가 충분히 크지 않다.
④   ①   ③   ②

Tall이 형용사이므로 enough가 뒤에 왔다. Not는 부사지만 be 동사 뒤에 온다.

⇩

I am not tall enough to reach the shelf.
①② ④   ③   ④

- -

나는 들을만한(to listen to) 음악을 찾느라(look for) 서점을
①   ④   ③
누비고 다녔다(go around).
②

To find~는 부사적 용법이다. To listen to는 music을 꾸며 주는 형용사적 용법이다.

⇩

I went around book stores to look for some music to listen to.
①   ②   ③   ④

1 슬기는 너무 바빠서(busy) 이모네(aunt's) 집들이에 갈 수(attend the house warming party) 없었다.

2 어제 내가 너무 졸려서(sleepy) 숙제를 못 끝냈다(finish).

3 고구마가 먹을 수 있을 만큼 잘(enough) 익었다(be steamed).

4 학교에서 거기까지 걸어가기엔(walk) 너무 멀다(far).

5 어떤 영화는 너무 폭력적(violent)이라 어린이들이 볼 수 없다.

6 그녀는 갑자기 깨어나서(woke up) 어떤 사람이(someone) 침대 옆에서(at the bedside) 그녀를 내려다 보고 있는 것을(looking down) 발견했다(find).

7 나는 그가 더 이상(any more) 말을 하지(to talk) 못하도록(to keep him) 그의 입에(in his mouth) 사과를(an apple) 집어 넣어버리고(to stick) 싶었다(want).

8 나는 주말에 집안 모임(a family reunion)에 참석해서(attend) 여기 없을(be out of town) 거다.

분사와 분사구문, 동명사 구문 만들기

1 분사

동사의 성질을 가지고 형용사 역할을 한다. 현재 분사(동사 원형+ing)는 진행과 능동의 의미를, 과거 분사(동사 원형+ed)는 완료된 상태나 수동의 의미를 지닌다. *능/수동태의 문법 내용은 문법책 참조

★ 분사의 적용

1. 명사 수식 : 형용사처럼 명사를 직접 수식할 수 있다.

   There is a sleeping baby on the bed.

   Baby가 사람이라 능동의 뜻인 현재 분사가 왔다.

   The written letter in English is mine.

   Letter가 사물이므로 수동의 뜻인 과거 분사가 왔다.

2. 보어로 쓰이는 경우: 주격 보어와 목적격 보어로 쓰이기도 한다.

   She stood crying.

   Cry의 행동 주체가 사람이므로 능동의 뜻인 현재 분사가 형용사로 왔다.

   He looked surprised.

   사람이 주어일 때 감정은 수동태로 표현한다.

   I heard my name called.

   Name은 스스로 부르지 않고 불리므로 수동의 뜻인 과거 분사가 왔다.

> **Help Note 1**
>
> 감정을 나타내는 타동사가 형용사처럼 쓰일 경우:
> The play was interesting to me.
> I was interested in the play.
> 사람이 주어면 be 동사 + 과거 분사로, 사물이 주어면 be 동사 + 현재분사로 쓴다.

POP QUIZ 1

다음 보기 중에서 적절한 단어를 선택하시오.

1. A baby girl is (sleeping / slept) in her mother's arms.

2. The (iced / icing) cake looked good.

3. The dust (covering /covered) book turned out to be the original copy of Tale of Hong Gil-dong.

4. She is putting on some (faded / fading) jeans.

5. The marathon runner ran with (surprising / surprised) speed.

2 분사구문

1. 분사구문이란?

분사가 만드는 구문으로 부사구다. 시간, 이유, 조건, 양보의 뜻을 지닌다. 주로 동시 동작과 연속 동작을 표현한다.

Seeing me, he ran away. 나를 보자마자 그는 도망갔다.(연속 동작)

현재 분사로 분사구문을 만들어 문장 전체를 꾸며 줬다.

2. 분사구문 만드는 요령

주절의 주어가 능동일 땐 동사를 현재 분사(R+ing)로, 수동일 땐 과거 분사(p.p)로 만들어 주절의 앞이나 뒤에 붙인다. 이때 being은 생략한다. ~~Being~~ Surprised by the news, I couldn't believe my ears. * 주절과 종속절의 문법 내용은 p. 66, help note 2 참조

지하철역에서 나와서, 나는 길을 잃었다.

a. 주어와 동사+목적어를 정한다 : 나는 + 잃었다 + 길을
b. 각 어구를 영어로 바꾼다 : 나는(I) + 잃었다(lost) +길을(my way)
c. 나머지(분사구문)를 분해한다 : 지하철역에서 나와서 = 나와서 + 지하철역에서
　　　　'~로부터 나오다'는 out of. 주어가 스스로 나오니까 동사를 현재 분사
　　　　(~ing)로 만든다.
d. 연결한다 : Coming out of the subway station, I lost my way.
　　　　= I got lost coming out of the subway station.

POP QUIZ 2

다음을 위의 방법처럼 분사구문이 들어간 영어 문장으로 바꾸시오.

1. 나이에(the age) 비해(consider), 그 아이는 매우 크다(tall).

2. 비 맞으면(be in) 감기 걸린다(catch a cold).

3. 밥을 먹으면서(eat) 나는 TV를 봤다.

Help Note 2

중문과 복문을 분사구문으로 만드는 요령 : 주어가 같을 때

a. 접속사가 붙은 절의 접속사와 주어, 조동사를 지운다. 접속사를 놔두기도 한다.
b. 지운 절의 동사를 R+ing로 고친다.
c. 주절과 종속절의 시제가 같으면 단순 시제, 다르면 완료 시제를 쓴다.

If you go **straight, you can find the building.** → Going **straight, you can find the building.**

3 동명사의 적용

동사 원형+ing 형태의 동명사는 명사처럼 주어, 목적어, 보어가 될 수 있다. ~하기로 표현된다.

Swimming is a healthful exercise. (주어)   수영하기는 몸에 좋은 운동이다.

My favorite sport is skiing. (주격 보어)   내가 좋아하는 스포츠는 스키 타기다.

I enjoyed cooking. (목적어)   나는 요리하기를 즐긴다.

He succeeded in finding a job. (전치사의 목적어)   그는 직업 구하기에 성공했다.

나는 오늘에서야 비로소 오빠가 도착한 것을 알았다.
= 나는 지금까지 오빠가 도착한 것을 몰랐다.

a. 주어와 동사+목적어를 찾는다 : 나는 + 몰랐다 + 오빠가 도착한 것(=오빠의 도착)을
b. 남은 것을 찾는다 : 지금까지 (until now) 시간이니까 맨 마지막에 놓는다.
c. 연결하고 영어로 바꾼다 : 나는(I) + 몰랐다(don't know) + 오빠가 도착한 것을(my brother's arriving)
   도착했다는 동작을 전달하기 위해 동명사를 사용했다.
d. 다 붙인다 : I don't know my brother's arriving until now.

POP QUIZ 3

다음을 위의 방법처럼 동명사 구문이 들어간 영어 문장으로 바꾸시오.

1. 낚시는(fishing) 내가 가장 좋아하는(favorite) 운동(a sport)이다.

2. 나는 정말 등산에(hiking) 관심이(be interested in) 없다.

3. 그는 에베레스트 산 정상에 오르는데(climb) 성공했다(succeed).

---

4 To부정사의 명사적 용법과 동명사의 차이

모두 명사 역할을 한다. To부정사는 구체적, 현재적, 능동적 상황에 쓴다. 미래 지향적, 긍정적 의미의 어휘 (wish like 등)를 선호한다. 동명사는 일반적, 한시적, 수동적 상황에 쓴다. 과거 지향적, 부정적 의미의 어휘 (mind, dislike 등)를 선호한다.

I'd like to sit in the garden.   꽃밭에 앉아 있고 싶다는 현재의 바람

I like sitting in the garden when it's fine.   날씨가 좋으면 늘 꽃밭에 앉아있는 일반적 상황

They began to run through the trees.(X)   미래를 나타내는 to부정사가 과거 문장에 쓰여 어색

They began running through the trees.(o)   과거 서술이라 동명사 사용

다음을 분사나 분사구문, 동명사가 들어간 영어 문장으로 바꾸시오.

나는 낚시를 좋아하지 않는다. 그저 배 위에 **앉아서** 아무 것도 하지 않는 것에만 관심이 있다.
①   ③   ②   ④   ⑤   ②→③   ③   ②→③   ②/③   ②
                                      동명사   동명사

⇩ 동사 ② 가 동명사로 변해 전치사의 목적격 ③ 이 되었다.

I don't like **fishing. I am** only **interested** in sitting **in a boat** and doing nothing at all.
①   ②   ③   ①②   ④   ②/③   ②→③   ⑤   ②→③   ③   ④
                                 정도 부사   동명사   동명사

Fishing은 like의 목적어로 쓰인 동명사, sitting과 doing은 전치사 in의 목적어로 쓰인 동명사다.
Only 는 정도 부사로 be 동사 뒤에 위치했다.
Interested는 동사의 과거 분사(p.p)로 형용사처럼 쓰였다.
② → ③ 이란 원래 동사지만 전치사의 목적격인 동명사로 변화되었음을 표기했다.

1 학교에서 하루 종일(all day)을 보낸(spend) 후에, 나는 늘 배가 고픈 채(with being hungry) 집으로 (home) 간다(go).

2 몇 시간 동안 컴퓨터 자판을(the computer keyboards) 치느라(type) 나는 몹시 바빴다.

3 네 질문에(question) 답하자면(answer), 나는 내년에 제주도에서 일 년 있다가(stay) 올까 생각 중이다 (be thinking about)

4 당신의 참석은(attending) 우리 행사를(our occasion) 빛내주셨습니다(bring honor to).

5 한 골(a goal)도 못(without) 넣으면서(kick) 나는 몇 시간씩(for hours) 축구를 하곤(often) 한다.

6 벽에다(against the wall) 사다리를(a ladder) 기대 놓고(put), 나는 지붕 위로(toward) 올라가기(climb) 시작했다.

7 어느 작은 마을(a tiny village)엔 저주받은(curse) 나무가 있는 것으로(have) 전해진다(be said).

8 집에 오자마자(return) 나는 진공청소기로(by vacuuming) 내 방 청소를 시작했다.

형용사가 되는 관계절

1. 관계 대명사의 형용사적 기능

형용사절이란 관계절이 명사나 대명사를 꾸며 주는 역할을 하는 것이다. (주어+동사)가 있는 절이 앞에 있는 명사를 꾸며 줄 땐 (관계사)+주어+동사 ~ 형태로 그 명사 뒤에 붙여 준다. * To부정사는 동사만으로 만들고, 관계절은 주어+동사로 만든다.

내가 좋아하는 **노래** 한 곡 → **노래** 내가 좋아하는
주어 + 동사

→ **A song** (which) **I like**

동사 like가 '노래'를 꾸며 주는데 주어(내가)까지 있다. 관계절로 만들어 앞의 '노래'를 꾸며 준다.

2. 관계절의 꾸밈을 받는 명사 만들기

POP QUIZ ①

다음을 〈명사+주어+동사〉 구조의 영어 어구로 바꾸시오.

1. 내가 그린 그림

   The picture I drew

2. 그가 한(say) 말(words)

3. 내가 건(call) 전화

4. 톰이 발명한(invent) 장난감 자동차(toy car)

5. Tom이 간(visit) 식당

6. 영화가 시작한(start) 시간/각 (the time)

7. 내가 참석한(be at) 파티

8. 내가 숨긴(hide) 돈

POP QUIZ ②

다음을 〈명사+주어+동사〉 구조의 영어 어구로 바꾸시오.

1. 내가 고장 낸(break) 고급(fancy) 차

   The fancy car I broke

2. 그가 사는(live in) 아파트(the co-op)

3. 내가 끊은(hang up) 전화(call)

4. 내가 찢은(tear) 예쁜 크리스마스카드

5. 마리아가 활짝(broadly) 웃고(laugh) 있는 사진

6. 어제 내가 본 TV 프로그램

7. 친구가 적극(highly) 추천해(recommend) 준 책

8. 조부모님이 설날에 준 세뱃돈(the holiday gift)

3. 형용사절이 포함된 문장 만들기 요령

    a. 주어와 동사를 찾는다. 문장의 맨 마지막 동사가 주절의 동사다.
    b. (주어+동사)로 구성된 절이 꾸며 주는 어구를 찾는다. 그 어구 뒤에 (주어+동사)절을 붙인다.
    c. 목적어, 보어 등을 찾는다.
    d. 영어 어순으로 정렬해서 영어로 바꾼다.

4. 형용사절이 수식하는 목적어가 포함된 문장 구조

관계절의 수식을 받는 명사를 목적어로 쓴다.

나는 친구가 준 목걸이를 찾아봤다(찾았다).

    a. 주어와 동사를 찾는다 : 나는 + 찾았다 맨 뒤에 있는 동사가 주절의 동사, 그 동사의 행동 주체가 주어다.
    b. 목적어를 찾는다 : 목걸이를 + 친구가 + 준 목걸이를 꾸며 주는 주어+동사를 뒤에 붙인다.
    c. 영어 어순으로 바꾼다 : 나는 + 찾았다 + 목걸이를 + 친구가 + 준
    d. 영어로 바꾸어 정렬한다 : 목적격 관계사는 생략 가능하다

I found <u>the necklace</u> (which) <u>my friend</u> <u>gave</u>.
선행사 + 관계사 목적격 + 주어 + 동사

POP QUIZ 3

다음을 위의 방법처럼 형용사절이 수식하는 목적어가 있는 영어 문장으로 바꾸시오.

  1. 나는 <u>그가 사는 집을</u> 둘러봤다.(tour/look around).

  2. 나는 <u>그가 한 말을</u>(the words) 곰곰이 생각해 봤다(think over).

  3. 내 동생은 <u>내가 숨긴</u>(hide) 돈을 찾아냈다(found).

🔍 Help Note 1

목적격 관계 대명사: 생략이 가능하다.

주격 관계 대명사 : 주격 관계사+be 동사일 때만 둘 다 생략 가능하다.
                      일반 동사일 땐 주격 관계 대명사 홀로 생략할 수 없다.

I bought a book (which) my teacher introduced. 선생님이 소개한 책을 샀다.
                목적격 생략 가능: Introduce의 목적어
I bought a book (which is) about Korean costume. 한복에 대한 책을 샀다.
                주격+be 동사 생략 가능
I bought a book which introduced Korean costume. 한복을 소개한 책을 샀다.
                주격+일반 동사 생략 불가능

5. 형용사절이 수식한 주어가 있는 문장 구조

주어 자리에 형용사절의 수식을 받는 명사를 쓴다.

친구가 준 목걸이는 가짜 진주 목걸이다.

a. 주어와 동사를 찾는다 : 친구가 준 목걸이는 + 이다 맨 뒤에 있는 동사가 주절의 동사, 그 동사의 행동 주체가 주어다.

b. 보어를 찾는다 : 가짜 진주 목걸이 주어와 같은 것을 찾는다.

c. 영어 어순으로 바꾼다 : 목걸이는 + 친구가 + 준 + 이다 + 가짜 진주 목걸이 목걸이를 꾸며 주는 주어+동사 구조를
뒤에 붙인다.

d. 영어로 바꾸어 정렬한다 : 목적격 관계사는 생략 가능하다

<u>The necklace</u> my friend gave + <u>was</u> <u>a fake pearl *one</u>.

　　주어　　　+　　　　　　동사　+　　주격 보어

* 앞에 necklace를 한 번 썼으므로 뒤에서는 반복을 피하기 위해 one을 썼다.

POP QUIZ 4

다음을 위의 방법처럼 형용사절이 수식하는 주어가 있는 영어 문장으로 바꾸시오.

1. 그가 사는 집은(the house) 고치는 중이었다(is under repair).

2. 영화가 시작한 시간은 8시였다.

3. 마리아가 웃고 있는 사진이 나를 기쁘게(happy) 했다(make).

🔍 Help Note 2

문장 구조의 이해

1. 단문(simple sentence) : 주어 + 동사 구조가 하나다.

    The naughty boy pulled the dog's tail. (장난꾸러기가 강아지 꼬리를 잡아당겼다.)

2. 중문(compound sentence) : 두 개의 단문이 결합됐다. 등위 접속사(and, but, or, for)로 연결된다. 등위 접
속사 앞에는 comma(,)가 온다.

    The naughty boy pulled the dog's tail, and **the dog ran away.**
    (장난꾸러기가 꼬리를 잡아당기자 개가 도망갔다.)

3. 복문(complex sentence) : 주절과 종속절로 이뤄진다. 주절은 혼자서도 완성된 문장이다. 종속절은 혼자
서는 미완성 문장이다. 종속절은 주절 뒤에 오는데, 앞에 올 경우엔 종속절 뒤에
comma(,)를 붙여 준다.

    I can win the game if **I plan ahead. =** If **I plan ahead, I can win the game.**
    (미리 계획했으면, 게임에서 이길 수 있었다.)

다음을 형용사절이 들어간 영어 문장으로 바꾸시오.

나는 친구에게 어제 TV에서 본 프로그램을 얘기해 줬다(told).

주어+동사+목적어를 찾는다 ⇩ 맨 마지막 동사가 주절의 동사다. 주어 다음에 놓는다.

나는 / 얘기해 줬다./ 친구에게 / 어제 TV에서 본 프로그램을
① ② ③-Ⓐ (Ⓐ)③-Ⓑ

4형식 문장으로 정렬한다. ⇩ 형용사절이 프로그램을 꾸며 준다. 뒤에 붙인다.

I told <u>my friend</u> <u>the TV show I watched yesterday</u>.
③-Ⓐ (Ⓐ)

*다음을 p. 64, pop quiz1, 2를 참조해서 영작하시오.

1 내가 고장 낸 차는 폐차장(junk yard)으로 갔다.

2 정비공이(the mechanic) 내가 고장 낸 차를 수리했다(repair).

3 톰이 발명한 장난감 자동차는 전혀 굴러가지(roll) 않았다(not ~ at all).

4 나는 극장 안내양(multiplex attendant)에게 영화가 시작한 시간을 물었다(ask).

5 우리는 Tom이 간(visit) 식당에서 밥을 먹었다(have).

6 그는 내가 건 전화를(the phone) 받지 않았다(get).

7 나는 내가 끊은 전화에서 벨이(the bell) 울리는(ring) 소리를 들었다.

8 나는 투명테이프로(with Scotch tape) 내가 찢어버린 크리스마스카드를 다시 붙였다(fix up).

주어 대신 들어앉은 관계사

1 주격 관계 대명사절

관계절의 주어가 관계사인 경우다. 주절+관계 대명사의 주격+동사의 어순을 갖는다. 주격 관계 대명사 절도 다른 형용사와 마찬가지로 명사를 꾸며 주는 형용사로 쓰이거나 주어, 목적어, 보어로 쓰인다.

I met <u>the man</u> <u>who</u> sent me a necklace. (내게 목걸이를 보낸 남자를 만났다.)
선행사+관계사+동사
주격

🔍 Help Note

주격과 목적격 문장 비교

주격 문장 : The man <u>who</u> sent me a necklace. 관계사 뒤에 동사가 바로 나왔다.
└→ sent의 행동 주체
목적격 문장 : The necklace <u>which</u> my friend gave. 관계사 뒤에 주어+동사가 나왔다.
└→ 동사 gave 목적어

주격 관계사 절의 선행사가 종속절 주어와 겹친다. 목적격 관계절의 경우엔, 종속절의 주어+동사가 앞의 선행사를 꾸며 준다.

일반 동사의 주격으로 쓰인 예

어제 일어난 교통사고

'교통사고'를 꾸며 주는 말이 '어제 일어난' 이다.

교통사고(The accident)(선행사) + (교통사고가) + 일어난 + 어제(yesterday)
└→ (The accident) happened

↓ '교통사고'가 두 번 겹치니까 반복을 피하려 동사 '일어난'의 주어는 관계사로,
선행사 accident는 사물이므로 관계사는 which로 한다.
※교통사고는 워낙 많이 일어나서 traffic을 생략하고 accident만으로도 쓴다.

→ <u>The accident</u> <u>which</u> happened yesterday.
└→ 관계사 주격

깨진 유리창

The window + 깨진

└ '깨진'의 주어는 '유리창'이다.(The window was broken.)
└ which was broken.
종속절 주어를 관계사로 고친다.

→ The window (which was) broken.

스스로 깨뜨린 것이 아니라 깨뜨림을 당한 것이다. 수동형 'was broken'이 왔다. 주격+be 동사는 생략 가능하다.

하늘을 나는 새

The bird + 날다 + 하늘에서

└ '날다'의 주어는 '새'다. (The bird is flying.)
└ which is flying.
종속절의 주어를 관계사로 고친다.

→ The bird (which is) flying in the sky.

선행사인 새가 스스로 날 수 있다. 능동의 입장이라 be+~ing로 나타낸다. 주격+be 동사는 생략 가능하다.

POP QUIZ 1

다음을 주격 관계절이 들어간 영어 어구로 바꾸시오.

1. 리본(bow)이 달린 꽃다발(the bunch of)

2. 인쇄(print out) 가능한(can) 프린터

3. 반짝거리는(twinkle) 반지

4. 식탁 위에 놓인(be on) 케이크

5. 옥수수 모양(shape)의 타이머

6. 유행에 뒤진(old-fashioned) 원피스(dress)

POP QUIZ 2

다음을 주격 관계절이 들어간 영어 어구로 바꾸시오.

1. 명함에(business card) 쓰인 이름

2. 유명한 영화배우인(actor) 남자

3. 지하철 출입구에서 나눠주는(give out) 광고용 전단지(an ad flyer)

4. 빨강 표지의 책(/빨강 표지를 가진 책)

5. 우리 옆집에 사는 가족

6. 냉장고에 붙은 광고용 자석 (an ad magnet)

2 주격 관계 대명사가 들어간 문장 만들기

주어로 쓰인 예

벽에 걸린 시계가 비뚤어졌다.

주어					동사	형용사	방	장	시
벽에 걸린 시계가					졌다	비뚤어			
시계가	걸렸다			벽에					
The clock	(which was) hung			on the wall	was	slanted			

POP QUIZ ③

다음을 위의 방법처럼 주격 관계절이 주어로 들어간 영어 문장으로 바꾸시오.

1. 명함에 쓰인 이름이 낯설었다(unfamiliar).

2. 옥수수 모양(shape)의 타이머가 제 시간에(on time) 정확히(right) 울렸다.

3. 우리 옆에 사는 이웃은(the neighbors) 무척 친절하다(friendly).

목적어로 쓰인 예

나는 벽에 걸린 시계를 쳐다봤다.

주어	동사	명사					방	장	시
나는	쳐다봤다	벽에 걸린 시계를							
		시계가	걸렸다			벽에			
I	looked at	the clock	(which was) hung			on the wall			

POP QUIZ ④

다음을 위의 방법처럼 주격 관계절이 목적어로 들어간 영어 문장으로 바꾸시오.

1. 나는 식탁 위에 놓인 케이크를 잘라서(cut off) 사람들에게 나눠 줬다(share).

2. 옥수수 모양(shape)의 타이머로 시간을 쟀다(time).

3. 나는 공원에서 영화 촬영(film a movie) 중인 배우들을 봤다.

다음을 주격 관계절이 들어간 영어 문장으로 바꾸시오.

나는 유행에 뒤진 원피스를 고쳐서 새 유행 원피스로 만들었다.

여섯 항목의 분류대로 번호를 매긴다 ⇩

<u>나는</u> <u>유행에 뒤진 원피스(dress)를</u> (고쳐서) <u>새 유행 원피스로</u> <u>만들었다(mend, reform)</u>.
　①　　　　　　　③　　　　　　⑤　　　　　　②

맨 마지막 동사가 주어의 동사다 그 동사의 목적어도 찾는다 ⇩

나는(I) 개조했다(reformed) 유행에 뒤진 원피스를(the dress which was old fashioned)

나머지도 영어 어순에 맞춰 영어로 바꾼다 ⇩

새 유행 원피스로(into/ to one which was new fashioned)

⇩

I reformed the dress which was old fashioned to one which was new fashioned./
I mended an old dress into a new fashionable one./ I made the old fashioned a new ~.

---

1 냉장고에 붙은 광고용 자석엔 (the ad magnet) "굿피자 (good pizza)"라고 쓰여 있었다(said).

2 청소를 하면서 냉장고에 붙은 광고용 자석을 떼어냈다(removed, cleared).

3 지하철 입구에서 나눠 주는 광고지(flyer)엔 천 원짜리 할인 쿠폰이(a 1,ooo won coupon) 있었다.

4 다 떨어진(run out of) 두루마리 화장지(a toilet roll) 때문에 나는 화장실에서 당황했다(be embar-rassed).

5 나는 망원경으로 반짝거리는 별을 관찰했다(observe).

6 명함에 쓰인 이름을 보고서야 그가 대통령인 것을 알았다(recognize).

7 서점엔 영어로 쓰인 책이 가득했다(fill).

8 그 순간은(the moment) 사람과 꽃이 함께하는 살아 있는(alive) 영화의 한 장면(a movie scene) 같다 (look).

소유격 관계절 + what 관계절

1 소유격 관계 대명사

관계 대명사의 소유격은 형용사다. 선행사가 사람일 경우 whose, 사물인 경우엔 of which를 쓴다. 주절+관계 대명사 소유격+명사의 구조가 된다.

선행사가 사람인 예

나는 엄마가 영화배우인 톰을 만났다.

주어+동사+목적어를 찾는다 ↓

나는 + 만났다 + 엄마가 영화배우인 톰을

└ 톰+그의 엄마가 영화배우다

목적어를 꾸며 주는 수식어를 뒤로 보낸다

영어 어구로 바꾼다 ↓

I met Tom + His mother is a movie star.

└ His는 whose로 바꾼다

두 절을 붙인다 ↓

I met Tom whose mother is/was★ a movie star.

★ 종속절은 주제의 시제에 맞춰야 하나, 현재에도 사실이라면 현재 시제를 쓰기도 한다.

POP QUIZ 1

다음을 위의 방법처럼 관계 대명사 소유격이 들어간 영어 문상으로 바꾸시오.

1. 자기 차를 도둑맞은 톰은 경찰을 불렀다.

Tom called the police.+His car was stolen.

Tom whose car was stolen called the police.

2. 저기에 한 남자가 있는데 그의 딸이 우리 영어반이다(be in my class).

3. 내가 수업을 듣는(take a class) 교수는 어려운 시험을 냈다(give a hard test).

여름에 꼭대기가 눈으로 덮인 산을 보았다.

주어+동사+목적어를 찾는다 ↓

나는 + 보았다 + 여름에 꼭대기가 눈으로 덮인 산을

↓ 목적어의 수식어를 뒤로 보낸다

산을+꼭대기가 눈으로 덮인+여름에

↓ 꼭대기의 소유주를 따져본다

그 산의 꼭대기는 눈으로 덮였다+여름에

영어 어구로 바꾼다 ↓

I saw a mountain + The top of the mountain is covered with snow in summer.

두 절을 붙인다 ↓ 혼동을 피하려 주절 뒤에 콤마(,)를 붙였다.

I saw a mountain, the top of which is covered with snow in summer.

= I saw a mountain of which the top is covered with snow in summer.

ㄴ Of which를 다른 관계대명사가 놓이는 자리에 났다.

= I saw a mountain whose top is covered with snow in summer.

ㄴ Of which 대신 사람 소유격에 쓰이는 whose를 써도 된다.

POP QUIZ 2

다음을 위의 방법처럼 관계 대명사 소유격이 들어간 영어 문장으로 바꾸시오.

1. 표지가 빨간 책을 한 권 샀다.

   I bought a book.+Its cover is red.

   I bought a book of which the cover is red.

2. 나는 지붕이 기와인(tiled) 집을 방문했다.

3. 나는 돼지처럼(look like) 생긴(shape) 저금통(a money box)을 샀다.

Help Note 1

계속적 용법

관계 대명사는 한정적 용법과 계속적 용법으로 쓰인다.
관계절이 형용사 역할을 할 때는 한정적 용법이다.

I lost the purse which I bought yesterday.

선행사

계속적 용법은 앞 내용을 부연 설명해 준다. 관계사 문장 앞에 comma(,)를 찍는다. 주절을 해석한 뒤, 그 결과, 그
래서, ~(그리) 되었다라고 앞에서부터 순서대로 해석한다.

I found a purse, which I took to the police station. 지갑을 찾아서 경찰서에 가져갔다.

2 관계 대명사 what이 이끄는 명사

What이 이끄는 관계절은 명사절로서 주어나 목적어로 쓰인다. 선행사가 없다. 주로 '~것'으로 해석된다.

🔍 Help Note 2

What은 의문 대명사로 쓰일 땐 '무엇'이라는 뜻이다.
I asked him what he ate. 나는 그에게 무엇을 먹었냐고 물었다.

What이 관계사로 쓰일 땐 '~것'이라는 뜻이다.
I gave him what he ate. 나는 그에게 먹을 것을 주었다.

그 질문은 내가 원한 것이다.

a. 여섯 항목에 맞게 말덩어리를 나눈다 : 그 질문은 + 이다 + 내가 원한 것
b. 영어로 바꾼다 : The question + was + 내가 원한 것(것+내가 원한)
  ↳ "것"을 맨 앞에 놓는다.
  ↳ what I wanted. 시제 일치 시킨다.
c. 연결한다 :

The question was what I wanted.

POP QUIZ 3

다음을 위의 방법처럼 관계 대명사 what이 들어간 영어 문장으로 바꾸시오.

1. 그는 예전의 그(what he was)가 아니다.

2. 그가 가지고 있는 것(what he has)이 그의 인격(what he is)은 아니다.

3. 그가 말하는 것은 그가 믿는 것을 뜻한다.

🔍 Help Note 3

간접 의문문이란 문장 안에 다른 의문문이 들어있는 경우다.

무슨 일이 일어났는지 난 알지.

a. 6칸에 대입하면, '난 알지 무슨 일이 일어났는지'다.
  ↳ I know what happened.
b. 무슨 일이 일어났는지'에서 주어가 what 이고 동사가 happened다.
※간접 의문문의 what은 '무엇'으로 해석된다.

내가 한말에 따르라고(follow) 너한테 부담을 준 것은(put the pressure on) 아니었다.

맨 마지막 동사가 주어의 동사다
그 동사의 목적어도 찾는다 ⇩

┌ 것+내가 말하다:what I said

(나는) + 부담을 준 것은 아니었다 + 너에게 + 따르라고 + 내가 한 말에
└ 동사 따르다의 주어는 너, 목적어는 내가 한 말이다.

어구를 영어로 바꾼 뒤 정렬한다 ⇩

I didn't put the pressure on you to follow what I said.

---

1 그가 방문했던 집의 사람들은 매우 친절했다(kind).

2 보람네 가족은 하루 종일 개가 짖는(bark) 이웃을 너무 싫어한다(hate).

3 Ms. Susan은 내가 제일 좋아하는(enjoy most) 과목(class)의 선생님이다.

4 우리는 그의 행적에(what he does) 대해서 아무 것도 모른다.

5 옛날 옛적엔(once upon a time) 입이 큰 공룡이(dinosaur) 있었다.

6 신문에 사진이 난(be) 그는 유명하다(famous).

7 내가 깬 유리창의 주인은(owner) 몹시 화가 났다(upset).

8 이게 그가 말하는 방식이다(what he says).

전치사 없는 관계 부사절/S+V+S+V+~ 문장

1 관계 부사절이란?

관계 대명사가 접속사+대명사 역할을 하는 반면 관계 부사는 접속사+부사 역할을 한다. 관계 대명사와 달리 주어나 목적어가 생략되지 않는다. 선행사가 장소일 때는 where, 이유엔 why, 방법엔 how, 때를 나타낼 때는 when을 쓴다. 선행사와 관계 부사의 의미가 중복되면 생략할 수 있다.

★ 관계 대명사와 관계 부사의 차이점

선행사에 따라 관계 대명사나 관계 부사를 다 쓸 수 있다. 관계 부사를 쓸 때는 관계 대명사와 달리 전치사를 넣지 않는다. 부사는 전치사의 개념을 포함하기 때문이다.

This is the place which he worked in. 관계 대명사~ 전치사
= This is the place in which he worked. 전치사+관계 대명사
= This is (the place) where he worked. 관계 부사 where = in which
= This is the place (where) he worked. 선행사나 관계 부사 생략 가능

Where 사용 예

나는 세종 대왕이 살았던 궁궐을 방문했다.

a. 주어+동사+목적어를 찾는다 : 나는 방문했다. + 세종 대왕이 살았던 궁궐을
ㄴ, 궁궐을 꾸며 주는 '세종 대왕이 살았던'을 뒤에 놓는다.
ㄴ, 궁궐을+세종 대왕이 살았던

b. 영어로 바꾼다 :
I visited the palace +(where) King Sejong lived
ㄴ, The palace와 where은 장소라는 의미가 중복된다.
생략 가능

POP QUIZ 1

다음을 위의 방법처럼 where-관계 부사절이 들어간 영어 문장으로 바꾸시오.

1. 내가 자주 가는(I eat out) 식당은 네거리(intersection) 맥도날드(McDonald's)에서 대각선 건너편(on the kitty corner)에 있다.

2. 시계 바늘이(hands) 멈춘 시계가 우리가 새로 도배한(wallpaper) 벽에 걸려 있었다.

3. 이곳은 예전에(once) 우리가 소리쳤던(shout) 산봉우리(the top of the mountain)다.

부부는 첫아이가 태어나던 순간을 결코 잊지 못했다.

a. 주어+동사+목적어를 찾는다 : 그 부부는 잊지 못했다 + 첫아이가 태어나던 순간을

┗, 순간을 꾸며 주는 '첫아이가 태어나던'을 뒤에
놓는다

┗, 순간을 + 첫아이가 태어나던

b. 영어로 바꾼다 :

The couple + never forgot the moment + (when) the first baby was born

┄ The moment와 when은 순간이라는 의미가 중
복된다. 생략 가능

POP QUIZ 2

다음을 위의 방법처럼 when-관계 부사절이 들어간 영어 문장으로 바꾸시오.

1. 이 집은 처음 집을 (the starter house/the first house)샀던 때를 기억하게(remind/recall) 해 줬다.

2. 월드컵 중계할(be on air) 시간이다.

3. 우리는 뮤지컬을 공연했던(play) 학예회(the school expo)에 부모님을 초청했다(invite).

늦은 이유를 말해 봐.

a. 주어+동사+목적어를 찾는다 : 말해 봐 + (내게) + 이유를 + (왜) + 네가 늦었는지

┗, 숨어 있는 의미를 찾아서 어순에 맞춰 넣는다

b. 영어로 바꾼다 : Tell me + the reason + why + you were + late.

c. 정렬한다 : Tell me the reason (why) you were late.
Tell me (the reason) why you were late.

┗, The reason과 why는 이유라는 의미가 중복된다. 생략 가능

POP QUIZ 3

다음을 위의 방법처럼 why-관계 부사절이 들어간 영어 문장으로 바꾸시오.

1. 아름다움은(beauty) 왜 그녀가 그렇게 인기 있는지에(popular) 대한 이유다.

2. 나는 방금(just)에서야 그녀가 왜 그렇게 슬퍼(sad) 보였는지(look) 이해했다(understand).

3. 내가 어제 거기에 왜 갔는지 이유를 말할 수(give the reason) 없다.

이 음식을 어떻게 만들었는지 알려드릴게요.

a. 주어+동사+목적어를 찾아서 영어로 바꾼다 :

(제가) + 알려 주겠다 + 당신에게 + 어떻게 + 제가 + 만들다 + 이 음식을

→   I   will tell   <u>you</u>   how   I   cooked this food

                         └ 누구에게를 일부러 넣는다.

b. 정렬한다 : I will tell you how I cooked this food.

POP QUIZ 4

다음을 위의 방법처럼 how-관계 부사절이 들어간 영어 문장으로 바꾸시오.

1. 우리는 앞으로 어떻게 살 것인가에(how we will live) 대해 선택(choose)해야만(have to) 한다.

2. 그는 그가 악보 없이(by ear) 어떻게 바이올린을 연주하는지 우리한테 보여 줬다.

3. 나는 개미가 굴을(the nest) 파는(build) 법을 연구(study) 중이다.

---

2 〈S+V+S+V+~〉 문장 연습

주어+동사 구조가 반복된 문장도 주어와 동사의 관계만 따져 보면 쉽다.

He told me that <u>he could not go</u> to sleep last night because <u>he heard a</u>
     S + V   S +   V   S + V

noise from the wall.

S+V+S+V~ 문장 전환의 예

나는 그들이 보고 있던 드라마가 끝날 때까지 기다릴 거라고 생각했다.

a. 주어와 맨 마지막 동사를 찾아서 영어로 바꾼다 : 나는 + 생각했다 I thought

b. 끝에서 두 번째 동사와 그 주어를 찾는다 : 기다릴 거라고의 주어 역시 나는이다. I (could) wait

   b-1. 목적어가 있다 : 그들이 보고 있던 드라마가 끝날 때까지(를)

           └ 실제 목적어는 드라마가 끝나는 것이다. 다시 의미 덩어리로 정리한다.

              └ 드라마가 + 그들이 보고 있다 + 끝날 때까지

                 └ <u>the drama they were watching</u> + was over.

                    └ the drama they were watching was over

c. 합친다 : I thought I could wait (until) the drama they were watching was over.

                  └ 까지를 강조하고 싶으면 첨가해도 된다.

다음을 관계 부사절 또는 〈S+V+S+V+~〉 문장이 들어간 영어 문장으로 바꾸시오.

나는 친구에게 어제 TV에서 본 프로그램을 얘기해 줬다는 것이 생각났다.

나는 친구에게 어제 TV에서 본 프로그램을 얘기해 줬다는 것이 생각났다.
① ③-❶ ③-❷ = A ②-❷ ②-❶

마지막 동사와 그 동사의 주어를 같이 묶는다 ②-❶ ⇩

나는 + 생각났다

뒤에서 두 번째 동사와 그 주어를 같이 묶는다 ②-❷ ⇩

(내가) + 얘기해 줬다 + 친구에게

'얘기해 줬다'의 목적어를 찾아 붙인다 ⇩

나는 + 생각났다 + (내가) + 얘기해 줬다 → 에 대해 + 프로그램 TV에서 (내가) 본 어제

동사 '본'이 꾸며줬다. 관계사 형태로 만든다 ⇩ 말한 것보다 TV를 본 것이 더 이전이므로 과거 완료를 쓴다.

I remembered that I had told my friend about the TV show I watched yesterday.

---

1 우리는 지금 우리 프로젝트를 위해서 무엇이 중요한지(important) 결정해야(decide) 한다(have to).

2 그 사장은(the boss) 그 직원 이름이 무엇이었는지 기억해 낼 수 없었다(recall).

3 그녀는 어제 발생한 교통사고 소식을 신문에서 읽었던 기억이 났다(remember).

4 로마에 가 본 것은 내게 큰 기쁨(great pleasure)이었다고(give) 말해야만 할 것 같다(must say).

5 마리아가 웃고 있는 사진을 보면서 우리 학창 시절이(the school days) 생각났다고 친구에게 말했다.

6 내가 참석한 파티에서 예전 친구(old friend)를 만난 것을 Tom에게 설명했다.

7 영어가 서툴러(be poor as) 미국에서 수업을 들을 수(take classes) 있을지(if) 모르겠다(know).

8 그는 극장 안내양(multiplex attendant)에게 영화가 시작하는 시간을 물었던 것이 기억났다(remember).

비교 문장 쉽게 만들기

1 보어로 쓰인 형용사 비교급

주어(명사)의 상태를 설명해 주는 형용사가 올 때는 be동사를 쓰면 무난하다. 비교급도 마찬가지다.

서술적 형용사 비교 예

She is _____ beautiful _____.

as	as her mother.
not as	as her mother.
more	than her mother.
not more	than her mother.
less	than her mother.
the most	(one) in the class/ of my friends.
not the most	(one) in the class/ of my friends.
the least	(one) in the class/ of my friends.

2 명사 앞에 놓이는 형용사의 순서

형용사의 비교급이 명사를 비교해 준다.

The colder weather needs warmer clothing.   더 추운 날씨엔 더 따뜻한 옷이 필요하다.

He has more money than I have.   그는 나보다 더 많은 돈을 가졌다.

I prefer the older version of the song.   그 노래의 예전 판이 더 좋다.

POP QUIZ 1

다음을 형용사 비교 어구가 들어간 영어 문장으로 바꾸시오.

1. 더 적게 먹는 것이(eating less) 체중 감소(weight loss)의 열쇠(key)다.

2. 그는 점점 더(more and more) 기억력이 감퇴 되어(forgetful)가고 있다(be going to be/has been).

3. 슬기는 평균 키보다(average height) 15센티미터 더 크다.

4. 영화관에는(the movie theater) 평소보다(usual) 사람들이 적었다(fewer).

3 부사의 비교법

부사의 비교급도 일반 부사처럼 쓰인다. <u>부사는 형용사와 달리 최상급에 the를 붙이지 않는다.</u>

The wife drives a car better **than her husband.**
Better가 동사를 꾸미므로 남편보다 그녀가 운전을 더 잘한다는 것을 의미한다.

This troubles me most. 이것이 제일 곤란하다.
동사를 꾸밀 때는 최상급에 the를 붙이지 않는다.

POP QUIZ ②

다음을 부사 비교 어구가 들어간 영어 문장으로 바꾸시오.

1. 그녀는 먼저보다 훨씬 분명하게(more clearly) 의견을(the opinion) 표현했다(express).

2. 보람은 우리 집에서(in my family) 몸무게가 가장 적게 나간다(weigh).

3. 그녀는 전보다 늦게(later) 퇴근했다(leave work).

---

4 비교 문장 만들기

비교 어구가 무엇을 꾸며 주는지 따져 보면 영작이 쉽다.

서술적 형용사 사용 예

볼 때마다 더 예뻐지는 구나.

a. 숨어 있는 주어를 찾는다 : 상대방에게 하는 얘기로 보인다. You.
b. 동사를 찾는다 : 더 예쁘다는 형용사다. 진행형이라 are looking.
c. 나머지를 영어 어구로 정렬한다 : 볼 때마다는 whenever나 everytime이 가능. 내가 너를이라는 말이 숨어
있으므로 whenever /everytime I see you.
d. 다 붙인다 : You are looking prettier everytime I see you.

POP QUIZ ③

다음을 비교 어구가 들어간 영어 문장으로 바꾸시오.

1. 예전에(those days) 여행은(travelling) 오늘날(these days)만큼 그렇게 쉽지(easy) 않았다.

2. 식욕이(the appetite) 예전보다(ever before) 더 커진다.

그것에 대해 생각하면 생각할수록 이것이 네게는 큰 의미가 될 것 같은 확신이 드는 구나

주절과 종속절에 비교 어구가 들어 있다. ~ 하면 할수록(the more ~) 더욱더 ~ 하다(the more~)라는 비교 어구를 활용할 수 있다.

a. 동사의 수만큼 문장을 나눈다:
    a-1. 내가 그것에 대해 생각하면 할수록: 주어는 내가 I, 동사는 생각하다 think, 그것에 대해 about it. ~할수록 the more는 문장 맨 앞에. The more I think about it,

    a-2. 이것이 너한테는 큰 의미가 될 듯한 확신이 드는 구나:
        1) 숨은 주어를 되살린다. 확신시키다라는 타동사를 자동사로 바꾸려 수동태 be convinced (that)~로. 절이 뒤따르니까 접속사 that. The more ~, the more를 활용해서, The more I am convinced (that)/ I am sure~
        2) 이것이 너한테 큰 의미가 될 거다:
            ① 주어는 this, 될 거다의 미래 시제는 be going to
            ② 큰 의미가 될은 have greater significance. 너한테는 for you.

b. 연결한다: The more I think about it, the more I am convinced (that) this is going to have greater significance for you.
        = Whenever/If I think more about it, I am sure that this is going to ~

POP QUIZ 4

다음을 <the more ~ + the more ~> 비교 어구가 들어간 영어 문장으로 바꾸시오.

1. 빨리(fast) 달리면 달릴수록 그는 더 숨이 가빠(out of breath) 졌다(become).

2. 숙제를 늦게 하면 할수록(the later) 너는 더 늦게 외출(go out) 해야만 한다(have to).

3. 그녀가 말을 하면(talk) 할수록 그리 멍청해(stupid) 보이지(seem) 않았다(the less).

🔍 **Help note**

형용사 비교와 부사 비교 구분하기
a. I am as (<u>slow</u> /<u>slowly</u>)as her.
           ①   ②
b. I work as (<u>slow</u> /<u>slowly</u>) as her.
             ①   ②
a 문장은 동사가 be 동사다. 뒤에 형용사나 명사가 올 수 있다. 답은 ①번이다.
b 문장은 동사가 work(일반 동사)다. 뒤에 필요한 품사는 본동사를 꾸며 주는 부사다. 보기 ②번 부사가 정답이다.

다음을 비교 어구가 들어간 영어 문장으로 바꾸시오.

슬기의 사진 수집(collection)은 보잘 것 없다. 아름의 것은 좀 낫다. 하지만 은정의 수집은 최고다.

슬기의 사진 수집은 + 보잘 것 없다

주어(1번)와 동사(2번)를 찾는다   ⇩   형용사가 오면 be 동사를 쓴다. 좋지 않다(is not good)

아름의 것은 + 좀 낫다

주어(1번)와 동사(2번)를 찾는다   ⇩   좀 낫다는 well의 비교급을 써서 is better

하지만 은정의 수집은 + 최고다

⇩   최고다는 is the best

슬기 등은 사람이니까 생물 소유격 +'s를 써서 Seulgi's collection of pictures

순서대로 배열한다   ⇩

Seulgi's collection of pictures is not very good. Areum's is better. But Eunjung's is the best.

---

1 그의 검정 더블 자켓은(blazer) 예전 것에(before one) 비해 아주 비싸고, 잘 재단되어(well cut) 보였다 (look).

2 더 슬픈 것은(the sadder thing) 그 여자아이가 나보다 훨씬 더 예뻐(beautiful) 보인다(seem)는 것이다.

3 김치를 단시간에(in a short time) 만드는 더 좋은 방법이(way) 있나요?

4 123 빌딩(123 Building)은 우리나라에서 지금껏(of all time) 가장 높은 빌딩이며 각지에서(from many regions) 많은 사람들이 보러(see) 온다.

5 이번 버스를 놓치면(miss) 우리는 20분이나 다음 버스를 기다려야(wait) 한다.

6 이 소설은(novel) 저 만화책만큼(that comic) 재밌지는(entertaining) 않다. 그렇지만(nonetheless) 상당히(very) 유익하다(informative).

7 나는 아이들과 될 수 있는 한 많이(as much as possible) 놀려고(hang out) 한다(try to).

8 그녀는 재빨리(as fast as possible) 줄에서(the clothes line) 빨래를(the laundry) 걷었다(take down).

어렵기만 한 부정 표현

1 부정 표현은

주로 부정하려는 말 앞에 붙인다.

★ 부정 표현을 만들 때 알아 두어야 할 요령

1. 부정 표현을 사용할 때 동사는 긍정으로 쓴다.
   No one paid for lunch. 아무도 점심값을 내지 않았다.
   No one이 부정 표현이므로 동사는 긍정으로 사용했다.

2. 영어에서는 주절을 부정하고 우리말에서는 종속절을 부정한다. 우리말과 영어 문장을 서로 바꿀 때 꼭 기억한다.

I don't think + he paid for lunch.
주절 부정   종속절 긍정

나는 생각한다 + 그가 돈을 내지 않았다고
주절 긍정   종속절 부정

3. 한 문장에 부정 표현이 두 개 있으면(이중 부정) 긍정이 된다.
   I never watch soccer games on TV without fried chicken.
   닭고기 튀김이 없으면 축구 경기를 볼 수 없다. → 축구 경기를 볼 때는 꼭 닭고기 튀김을 먹는다.

4. Any, either처럼 일부 부정 어휘에 not같은 부정어가 붙으면 일부러 전체 부정으로 이해한다.
   I didn't meet either of my parents at the station. 나는 부모님을 모두 만나지 못했다.

5. All, every, both 처럼 전체를 부정하는 어휘에 not같은 부정어가 붙으면 일부러 부분 부정으로 이해한다.
   전체를 부정하면 부분 부정이고, 부분을 부정하면 전체 부정이다.
   All of them are not ill. 그들 전부 아픈 것은 아니다. 일부만 아프다.(○)
   One of them is not ill. 그 누구도 아프지 않다.(○)

6. 부정어는 주로 문장 맨 앞에 놓거나 따로 독립해서 쓴다.
   • No+명사 : any ~ not으로 쓸 수 있다.
      No cars are allowed on this road.
      어떤 차도 이 길로 들어갈 수가 없다.

   • None of + 복수 명사 : None of these books was /were interesting to me.
      이 책 중 단 한권도 재밌지 않다.

아무도 내게 말조차 걸지 않았다.

a. 주어를 찾는다 : 아무도 no one.
b. 동사 : ~ 조차 하지 않았다. ~ 조차는 even, 부정의 뜻은 주어 no one에 있으므로 동사는 긍정으로 쓴다. Tell 이나 bother, 또는 bother to tell도 무방하다.
c. 목적 : me
d. 합친다 : No one even told me. / No one even bothered to tell me.

아버지는 아무에게도 묻지 않았다.

a. 주어와 동사를 찾는다 : 아버지는 ~ 묻다. → My father asked
b. 부정문이다. '묻지 않았다', '아무에게도'를 no one 라고 하면, 동사를 긍정으로 쓴다.
c. 합친다 : My father didn't ask anyone. / My father asked no one.

POP QUIZ 1

다음을 부정 어구가 들어간 영어 문장으로 바꾸시오.

1. 거리에 차가 한 대로 없다.(There is~)

2. 우리 반 누구도(Nobody) 숙제를 해오지 않았다.

3. 아무도 그가 무었을 썼는지(what he wrote) 모른다.

4. 그 누구도 어떤 말도(say anything) 하지 않았다.

7. 부정하고자 하는 어구 바로 앞에 not, no 따위를 붙인다.

I have no money = I don't have any money. 돈이 한 푼도 없다.
No: 명사 앞에서 '하나도 ~ 없다'로 쓰인다. 'not a' 또는 'not ~ any'로 바꿀 수 있다.
I could not find anything to wear. 입을 것을 찾을 수 없었다.
I could find something not to eat. 먹지 못할 것을 찾았다.
I found nothing(no+thing). 나는 아무 것도 찾지 않았다.

다음을 부정 어구가 들어간 영어 문장으로 바꾸시오.

1. 그런 이름을(by that name) 가진 사람은 여기 없는데요(nobody).

2. 그 정보는 우리한테 유용한(useful) 것이 하나도 없다(nothing). There is로 시작

3. 한국이 3:0으로(3 to nothing) 축구 게임에서 이겼다(win).

4. 우리는 그의 행적에(his doing/what he did) 대해서 아무 것도(nothing) 모른다.

복잡한 부정어 포함 문장 작성의 예

내가 의도한 것을 아무도 이해하지 못했다는 것이 너무 놀랍다.

내가 의도한 것을 아무도 이해하지 못했다는 것이 너무 놀랍다.
     (A)   (B)

→ 나는 + 너무 놀랍다. + 아무도 이해하지 못했다는 것이 + 내가 의도한 것을
 (a)(B)   (b)(A)   (c)

a. 맨 마지막 동사와 그 주어(주절),목적어를 찾는다 : 나는(I) + 너무 놀랐다(be+surprised) + 목적어(A)
※ be+P.P 뒤엔 부사절이 온다. I was surprised that~. That 절은 부사절이다.
b. 목적절(A)를 분해한다 :
 b-1. 주어와 동사를 찾는다 : 아무도+이해하다.
  → Anybody could not understand=Nobody/No one could understand.
 b-2. 목적절 (A) 안에 또 목적절(내가 의도한 것을)이 있다 : 것은 the thing which/ 선행사 없는 what. 내가
  의도한은 what I meant 등이 있다.
 b-3. 서로 붙인다: 아무도 이해하지 못했다는 것이 + 내가 의도한 것을
     No one could understand what I meant
c. 모두 붙인다 : I was surprised that no one could understand what I meant.

다음을 부정 어구가 들어간 영어 문장으로 바꾸시오.

1. 이것만큼(as this) 재미있는(interesting) 방법은(a way) 없었다.

2. 내가 명령하기(give the order) 전에는(until) 아무도 움직여서는(move) 안 된다.

3. 이보다 더 괴로운(annoying) 것은 없다(nothing).

다음을 부정 어구가 들어간 영어 문장으로 바꾸시오.

그는 어제 회사에도 나오지 않고 우리 집에서 연 친구들 모임(the get-together)에도 오지 않았다.

동사의 수만큼 문장을 나눈다 ⇩ * the get-together : 덜 격식적인 모임, 파티

어제 그는 회사에 나오지 않았다 + (또한) 우리 집에서 연 친구들 모임(the get-together)에도 나오지 않았다

각 문장을 주어+동사 어구로 분류한다 ⇩

He was not at work + (또한)
he was not at the get-together with my friends I had at my place yesterday.

⟨not ~ nor:…도 (또한) 아니다⟩를 쓴다 ⇩ **nor** 사용하면 주어 동사가 도치된다.

* Neither/not ~ nor = either~or/both~and

He was not at work, nor was he at the get-together with my friends I had at my place yesterday.

---

1 누구도 그 문제를(the problem) 풀 수(solve) 없다.

2 과일 중 아무 것도 싱싱하지(fresh) 않았다.

3 내가 방으로 되돌아가자(get back)마자(no sooner A than B) 정적을 깨는(wake the dead) 초인종이(the door-bell) 울렸다(ring).

4 그가 아팠을(be sick) 때 아무도 그를 돌봐 주지(take care of) 않았다.

5 학교는 여기서 멀지 않다(no distance).

6 그들 중 아무도(None) 눈치 채지(sense) 못했다.

7 너는 다음 주에 그것을 하는 것(to do that) 외에(but) 다른 방도가 없을 것이다(no choice).

8 집에(home) 아무도 없었고, 주위에도(around) 없었고, 아무도 거기에(there) 오지 않았다.

문장 만들기 세 가지 요령

복잡한 문장을 만드는 방법은 크게 세 가지가 있다. 문장에 따라 적당한 방법을 골라 쓴다.

1 의미 덩어리를 여섯 항목으로 분류해서 만든다

문장을 의미 덩어리 별로 아래와 같이 분류한다.

❶ 주어 (명사)	❷ 동사	❸ 명사(주격 보어/목적어) 형용사 (주격 보어/목적격 보어)	❹ 방법	❺ 장소	❻ 시간

<u>I</u> <u>was</u> <u>quiet</u> <u>at the meeting</u> <u>that evening</u>. 그는 그날 저녁 회의에서 가만히 있었다.
① ②　③　　　⑤　　　　⑥
주어의 상태를 설명해 주는 형용사(주격 보어)가 3번에 해당된다.

<u>He</u> <u>was</u> <u>a very plain-featured man</u> <u>with nothing</u> <u>in his look or in his dress</u>.
　① ②　　　③　　　　④　　　　⑤
그는 외모나 차림새에서 이렇다 할 특징이 없는 평범한 사람이다.
주어와 동격인 명사(주격 보어)가 3번에 해당된다.

<u>She</u> <u>wrote</u> <u>an essay about the romance of field trip</u> <u>in the school writing contest</u> <u>this year</u>.
　① ②　　　　　③　　　　　　　　　⑤　　　　　⑥

* Romance: 명사, 사랑의 기운, 모험담, 연애 소설, 어떤 특정 장소나 활동과 관련된 설렘

그녀는 올해 교내 백일장에서 수학여행에 대한 설렘을 산문으로 썼다.
동사(wrote)가 전치사 없는 명사 essay에 잇닿으므로 essay는 목적어로서 3번이다.

모든 사람이 (자신의 옷 중에서) 가장 깔끔한 옷을 입었다.

a. 문장을 의미 덩어리로 나눈 뒤 여섯 항목에 맞게 분류해서 번호를 붙인다.
<u>모든 사람이</u> (자신의 옷 중에서) <u>가장 깔끔한 옷을</u> <u>입었다</u>.
　① 　　　　　　　　　　③　　　②

b. 번호 순으로 나열하고 의미 덩어리를 영어로 바꾼다.
모든 사람이(everyone) + 입었다(put on/wear) + 가장 깔끔한 옷을(the smartest outfit)

c. 어떤 동사를 쓸 것인가를 정해서 완성한다:
• Wear를 쓸 경우, 특정 옷 종류가 나와야 한다. Everyone wore the smartest outfit.
• Be dressed(자동사)를 쓸 땐 전치사 in 뒤에 목적어(outfit)를 붙인다. Everyone was (dressed) in the smartest outfit.

다음을 영어 문장으로 바꾸시오.

> **그녀는 저녁 8시쯤 차와 비스킷을 고상한(elegant) 찻잔 세트(a tea set)에 내왔다.**

문장 맨 뒤의 동사와 그 행동의 주어를 찾는다 ⇩

그녀는(she) + 내왔다(served, 시제 유의)

목적어를 찾는다 ⇩ 우리말의 조사, 을/를이 붙은 것을 고른다.

차와 비스킷을(tea and biscuits)

부사 부분을 순서에 맞게 배열한다 ⇩ 방법+장소 / 장소+방법 순으로 배열한다.
찻잔 세트 안에 담겨 나왔으므로, 전치사 in

고상한(elegant) 찻잔 세트(a tea set)에(in an elegant tea set)

시가을 맨 뒤에 배열한다 ⇩ 같은 항목이 겹치면, 작은 것을 먼저 놓는다

저녁 8시쯤(at around 8 o'clock in the evening)

모두 정렬한다 ⇩

She served tea and biscuits in an elegant tea set at around 8 o'clock in the evening

---

1 제가 식중독에(food poisoning) 걸려(come down with)서(as) 여기 의사 진단서를(doctor's note) 끊어왔습니다.

2 바로 그 다음날(on the very next day), 우리는 늙어 가는 것의(aging) 두려움에(fear) 대해 오래 얘기했다.

3 그는 20대(in his twenties) 때만큼(as ~ as) 건강하지(healthy) 않다.

4 나는 그의 무신경(lack of sensitivity)이 정말 놀랍고 화가 나더라(annoy).

5 이 팀(team)에서는 나도 없고(no 'I') 너도 없다(no 'you').

6 사심(personally)없이 들어주세요(take). 나는 아무래도(just) 그것을 못 하겠어요(do).

7 그들은 마주 보고 웃었다. 미소에(their smile) 삶의 슬픔이(the grief of living) 서려 있었다(have).

8 우리 아버지는 슬기 할아버지의 장례(funeral) 때 방명록에(in the guest book) 진심어린 애도(sincere condolences)의 문구를 적고 나서 부의금을 냈다(make a contribution).

2 동사의 수만큼 문장을 짧게 자른다

동사의 수만큼 문장을 만든다. 순서를 찾아 영어 표현으로 바꾸거나, 먼저 영어 어순대로 정렬하고 바꾼다.

---

a. 동사를 찾는다. 여러 개가 있으면 동사의 개수만큼 문장을 자른다.

b. 각 문장을 여섯 항목으로 분류한다.
  b-1. 맨 마지막 동사의 주체인 주어(1번)를 세운다.
  b-2. 목적어(3번)을 찾는다.

c. 어구의 의미가 방법(4번)+장소(5번) 또는 장소(5번)+방법(4번)에 해당하는 순으로 배열한다.

d. 시간(6번)을 맨 뒤에 배열한다.

e. 같은 번호의 항목이 겹치면, 작은 단위를 먼저 놓는다.

f. 모두 정렬한다.

그가 거의 2년 만에 대전 가는 길에 갑자기 우리 집에 왔다.

a. 동사를 찾는다. 동사의 개수만큼 그에 해당하는 주어도 찾아서 문장을 자른다 :

그가 갑자기 (우리를) 방문했다. + 대전에 가는 길(on the way)이었다. + 거의 2년만(in two years)이었다.

a-1. <u>그가</u> 갑자기 <u>방문했다</u>.
     ①   ④   ②
→ 그가(he) + 방문했다(visited) + (목적어) + 갑자기(suddenly)
→ He visited us suddenly.
Visit가 타동사이므로 목적어를 넣어야 한다. 우리 집에 왔다는 뜻은 우리를 보러 온 것이다. 숨어 있는 목적어 us를 찾아서 붙인다. Visit는 사람을 만나러 방문한 것이면 사람 목적어를, 장소를 방문한 것이면 장소 목적어를 넣는다.

a-2. <u>대전에 가는 길(on the way)</u> 이었다.
     ⑤   ④   ②
→ 그는(he) + 이었다 + 가는 길 + 대전에
→ He was on the way to Daejeon.
숨어 있는 주어를 찾는다.

a-3. <u>거의 2년만(in two years)</u> 이었다.
       ⑥   ②
→ (It) + 이었다 + 거의 2년만
→ It's in nearly two years.
날씨, 시간, 거리, 중량, 무게 등은 비인칭 주어 it을 쓴다.
~ 만이다라는 표현엔 전치사 in을 쓴다.

b. 세 문장을 모두 붙인다 :
→ He visited us suddenly. He was on his way to Daejeon. It's in nearly two years.
세 문장의 나열 순서는 문맥에 맞게 정렬한다.

다음을 영어 문장으로 바꾸시오.

영어를 일 년 이내에 능숙하게 하는 것은 어렵다.
① ③ ②

A는 + 어렵다.(A is difficult).
A ⇩ be 동사 + 형용사로 바꾼다

(사람들이) 영어를 일 년 이내에 능숙하게 하는 것
③ ⑥ ①
Mastering English in a year

순서대로 배열한다 ⇩

Mastering English in a year is difficult for them.
= It is difficult for them to master English in a year.

주어(They~year)가 길 때는 뒤로 보내고 그 자리에 it(가주어)를 써 주기도 한다.

1 난 잠시(for a while) 떠나 볼까(get away) 생각하고 있었다(be thinking about).

2 좀 더(for some more time) 머물 거라 아직 도착 날짜를 정확히 알려 줄(tell, give) 수 없다.

3 사실, 옛 건축물(building)을 보는 것이 즐겁고 흥미롭고(to interest me), 늘 새로운 것을 찾아내느라(find) 이 도시에서 전혀 따분하지(bored) 않다.

4 슬기는 사람들이 상당히(very) 많이 모인(crowded) 친구네 저녁 식사에 갔다. 아이들을 데리고 온(with kids) 사람들이 많았다.

5 그녀는 눈을 뜨고 나를 똑바로(directly) 쳐다보고 웃었다(smile). '고맙다'라고 속삭이고(whisper) 나서 다시 눈을 감았다(close).

6 사장님은 휴가 전에 여기 일을(all my work) 아주 확실히 (clearly) 해 놓으라고(do) 내게 시켰다(have).

7 저를 보자고(see) 하셨다면서요.

8 그녀는 조심스럽게(carefully) 책상에 있는 종이를 집어 올리더니(pick up) 조용히(quietly) 반으로(in half) 접었다(fold).

a. 아무리 복잡한 문장이라도 주절의 본동사만 찾으면 맥이 잡힌다.
대부분 문장의 맨 마지막 동사가 주절의 동사다.

b. 그 동사의 주어와 목적어를 찾는다. 목적어가 없으면 자동사다.

c. 동사가 명사를 꾸며 줄 때는 to부정사나 관계절로 바꿔서 그 명사 뒤에 놓는다.

d. 나머지를 방법+장소+시간 또는 장소+방법+시간 순으로 놓는다.

e. 같은 항목에 여러 개의 어구가 있으면 작은 단위를 앞에 놓는다.

f. 여러 개의 절이 나올 때는 결과(주절)+(접속사)+원인(종속절) 순으로 놓는다. 또는 (접속사)+원인(종속절), 결과(주절) 순으로 놓는다.

얼굴 리프팅을(face lifting) 해서 눈이 찢겨 올라간 듯(slit and slanted) 보이는 나이든 여자 판매원이 사이즈가 '44'인 면-스판 소재(cotton-spandex / cotton-Lycra) 팬츠를 건네줬다.

a. 맨 마지막 동사를 중심으로 그 동사의 주어와 목적어를 찾는다.
나이든 여자 판매원이 사이즈가 '44'인 면-스판 소재 팬츠를 내게 건네 줬다.
① ③-❷ ③-❶ ②
'나이든 여자 판매원'은 an older saleswoman. 나보다 순위의(older). '건네 줬다'는 handed. 두 개의 목적어는 '내게(me)'와 '팬츠(a pair of pants)'다.

An older saleswoman handed me a pair of pants.

b. 꾸밈말을 분해한다. 형용사가 어디 걸리는지, 동사가 형용사 역할을 했으니 준동사로 만들어 줘야 하는지 등을 결정한다.

b-1. 여자 판매원에 대한 묘사 :
얼굴 리프팅(face lifting)을 해서 눈이 찢겨 올라간 듯(slit and slant) 보이는
① (주어로 놓는다) ③-❸ ③-❹ ②
(ㄱ) 눈이 찢겨 올라간 듯 보이는 것이 중요하면, who had slit and slanted eyes caused by face lifting,
(ㄴ) 리프팅을 강조하면 her face lifting made the eyes look like slits and slants.
(ㄷ) slit 과 slant를 동사로 하면, whose eyes were slit and slanted by face lifting.
(ㄹ) 선택, An older saleswoman, her face lifting made the eyes look like slits and slants, handed me a pair of pants. 또는 her 대신 관계사를 넣어 whose face lifting~.

b-2. 바지에 대한 묘사 :
사이즈가 '44'인 면-스판 소재 (cotton-spandex / cotton-Lycra) 팬츠를
팬츠에 대한 수식어가 사이즈 '44'다. 관계사를 넣어 which size is 44, 또는 동격으로, size 44,로 한다.

c. 모두 완성시킨다. 성, 수, 격이나 시제 등을 맞춘다.
An older saleswoman, whose face lifting made her eyes look like slits and slants, handed me a pair of cotton-spandex pants which were size 44.

다음을 영어 문장으로 바꾸시오.

> **그는 고소한 냄새가 나는 기름 밴, 커다란 구식 갈색 봉투를 등 뒤에서 꺼내 내밀었다.**

<u>그는</u> + <u>내밀었다</u> + 고소한 냄새가 나는(**delicious-smelling**) 기름이 밴(**grease stains**),
　①　　　②
구식 (**old-school style**) 커다란 갈색 봉투를 + <u>등 뒤에서</u>
　　　　　　　　③　　　　　⑤

a. 주어와 본동사 : 그는 + 꺼냈다 등 뒤에 끌어당겨 앞에 내놓으니까 he + pulled/ pulled out +~

b. 목적어 : 봉투를 형용사 순서로, 크기+색깔+분사+재료 순, a big brown old-school styled paper bag

c. 5번(장소) : 등(the back) 뒤(behind)에서(from) from behind his back

d. 고소한 냄새가 나는, 기름 밴 : 봉투를 꾸며 주는 어구가 길다. 관계절이나 삽입 등을 붙인다.

e. 정리 : He pulled a big brown old-school styled paper bag, which had some delicious-smelling grease stain on it, from behind his back.

---

1 잠시(for a while) 외국에서(abroad) 영어를 배우고 싶다고(want) 네가 말했다(mention)며(I hear)?

2 어제가 첫 번째 월급날(payday)이라(as) 은행 구좌를(bank account) 확인해 봤는데(check) 아직(yet) 급여를 받지 못했다는(have gotten paid) 것을 알게 되었다(notice).

3 나는 다시 밥을 먹었다. 군것질을 멈춘 지 21시간 만에(in twenty-one hours) 처음(the first time)이었다.

4 기억하고 싶은 것은 곧 잊고, 잊고 싶은 것은 오래 기억하는 일은 흔히 있는 일(it often happens)이다.

5 깜깜해서 전혀 안 보이니 뭐가 뭔지(which one is which) 도통 알 수(distinguish) 없었다.

6 와 주셔서(take time) 고맙습니다. 일정이(schedule) 꽉 차서(tight) 무척 바쁘시다는 말씀 들었습니다.

7 네가 선생님께 나를 고자질할(tell on) 만큼 겁쟁이(a coward)라고는 생각하지 않는다.

8 온라인에서 신용 카드로 결제하다(charge the payment) 컴퓨터가 멈췄다(freeze). 복구할(recover) 수 없다.

문장 구성에 필요한 문법

1 품사란?

문장의 구성 성분(자리)이 될 자격이다. ①주어와 목적어는 명사만 가능하고, ②동사를 꾸며 줄 때는 부사로 와야 한다. ③주어와 목적어를 설명할 때는 명사나 형용사가 온다. 품사가 다르면 의미가 달라진다.

1. 주어와 목적어, 보어, 전치사의 목적격은 명사만 가능하다. 명사로 만들어 준다.

Blessings will come your way★ if you smile. 웃으면 복이 와요.
주어-명사　　　　　　　　　　　★come your way는 '우연히 찾아오다'라는 뜻

축복하다라는 뜻의 동사 bless가 주어가 되기 위해서 동명사로 바뀌었다.

2. 주어와 목적어는 명사다. 이들을 설명할 때는 형용사를 쓴다. 동사의 상태를 설명할 때는 부사를 쓴다.

a. The carpenter made the box skillful.
└ the box was skillful
형용사 skillful은 목적어 the box의 목적격 보어다. 상자가 잘 만들어졌다는 의미다.

b. The carpenter made the box skillfully.
부사 skillfully는 동사 made를 꾸며 줬다. 장인의 솜씨가 좋다는 의미다.

Skillful과 skillfully처럼 품사 하나 바뀌어도 뜻은 확연히 달라진다.

- c. I arrived the airport.　(x)　자동사이므로 목적어(전치사 없는 명사)를 받을 수 없다.
  I arrived at the airport.　(o)　자동사에 목적어를 붙이려면 전치사+명사(부사구) 형태로 만든다.
- d. Birds sing beautiful.　(x)　동사를 꾸며 주는 데 형용사가 왔다.
  Birds sing beautifully.　(o)　동사를 꾸며 줄 때는 부사 형태로 만들어 줘야 한다.

3. 명사 자리에 오는 어휘는 명사로, 동사 자리에 오는 어휘는 동사로 인식한다.

- a. The boss made no mention of my work.　명사로 쓰였다.
- b. The boss didn't mention my work again.　동사로 쓰였다.

두 문장은 뜻이 같다. 사장은 내 일에 대해 언급하지 않았다.

다음 문장의 밑줄 친 부분을 적절한 품사로 고치시오.

1. He was asked the same question <u>repeat</u>.

2. He put down the <u>heavily</u> bag from the shelf.

3. The car was <u>bad</u> damaged.

4. I'll love you in sick and in <u>healthy</u>.

2 명사 중심 / 동사 중심 / 형용사 중심 구문

같은 내용이라도 명사 중심, 동사 중심, 형용사 중심 표현으로 쓸 수 있다. 맥락의 흐름에 따라 쓴다.

The book was very interesting. = I was interested in the book.
= I have an interest in the book. 그 책은 참 재밌다.

I'm under stress. = I'm very stressed. = It's really stressful to me.
= It's really stressing me out. 나는 스트레스를 받고 있다.

There was lots of snow last winter. = It had a great deal of snow last winter
= It snowed a lot last winter. = We had heavy snow last winter. 지난 겨울에는 눈이 많이 왔다.

There is a church over there. = A church is over there.
= I can see a church over there. = You can see a church over there. 저기 교회가 있다.

The house's roof is tiled. = The roof of the house is tiled. = The house has a tile-roof.
= He has a tile-roofed house. = He has a house with tile-roof. 그 집 지붕은 기와다.

다음을 영어 문장으로 바꾸시오.

1. 그는 정직하기로(honesty) 유명하다(be famous).

2. 그는 서울로 출장(on business) 왔다.

3. 나는 식당에다 4명 자리를(a party of four) 예약했다.

1. 주절의 시제가 현재나 미래면 종속절엔 내용에 따라 아무 시제나 와도 된다.

2. a. 주절의 시제가 과거면 종속절은 주절과 같은 시제이거나 하나 이전 시제가 와야 한다.

　　주절 (과거 시제) + 종속절 (미래 시제) (X)
　　주절 (과거 시제) + 종속절 (현재 시제) (X)
　　주절 (과거 시제) + 종속절 (과거 시제) (O)
　　주절 (과거 시제) + 종속절 (과거 완료=대과거 시제) (O)

　b. 시제를 구별할 필요가 없는 경우는 다음과 같다.

　　- 사건이 발생한 순서대로 말하는 경우 :
　　I bought a house and sold it.

　　- Before, after 따위 접속어로 연결된 앞 뒤 사건의 시간 설명이 분명한 경우 :
　　I lost my cell phone as soon as I bought it.

　c. 객관적 진리, 분명한 현재의 상태나 습관 : 주절이 과거라도 종속절에 현재 시제가 올 수 있다
　　I met Tom whose mother is a movie star. 현재 엄마가 영화배우를 하고 있다.

　d. 현재 완료 문장에서 since가 이끄는 종속절엔 과거 시제가 온다.
　　I have lived in Seoul since I was 5 years old. 5살 때는 과거, 지금은 현재 완료 상황이다.

　e. 시간과 조건의 부사절은 미래 내용이어도 현재 시제로 쓴다. 이때 주절은 문맥에 따른 원래의 시제로 쓴다.
　　If it will be sunny tomorrow, I will go hiking.
　　→ If it is sunny tomorrow, I will go hiking.

LEARNING TIP QUIZ 3

다음 문장에서 주어진 단어를 적절한 시제로 고치시오.

1. He said he (can / could) not have lunch with me, for he (have / has / had) to study for his test.

2. If it (rain / rains / rained) tomorrow, I (will/ would) not go out with my child.

3. In history class, the teacher (ask / asks / asked) me why King Sejong (invent / invents / invented) Hangul which is the Korean alphabet.

영어는 시제로 말한다. 각 시제가 갖는 의미를 알고 적절한 시제를 활용한다.

1. 현재 시제

　• 객관적/과학적/일반적 사실을 나타낸다. 현재의 직업, 성격, 능력이 포함된다.
　　I am shy. 나는 내성적이다. (성격)
　　The earth is round. 지구는 둥글다. (일반적/과학적 사실)

- 반복될 때 사용한다. 습관이나 반복적 동작이 포함된다.
  I go to Sunday school on Sundays. 나는 매주 주일 학교에 간다.

2. 과거 시제
- 지나간 일을 말할 때 쓴다. 반드시 그 일이 발생한 때(시간)를 곁들여야 한다.
  I bought a book yesterday.
  어제 책 한권을 샀다는 사실만 드러낸다. 지금 그 책이 내게 있는지 없는지 알려 주지 않는다.

3. 완료 시제
- 기간에 일어나는 일을 표현한다.
  I have bought a book. 내가 책을 사서 지금 가지고 있다.

점심 먹었니? 라는 질문에 대해 각 시제별 의미 차이

완료 시제 : Have you had lunch? 아까 먹은 점심이 지금도 든든한지 묻는다.
과거 시제 : Did you have lunch at noon? 때 맞춰 밥을 먹었는지를 묻는다. 지금 배가 고픈지에 대한 궁금증은 없다.
현재 시제 : Do you have lunch? 매일 점심을 먹고 있는지 묻고 있다.

---

4. 미래 시제
- 미래의 상황을 나타낸다.
  - will+동사 원형: 막연한 미래나 방금 정한 결정에 쓴다.
    I will have cold noodle(=naengmyun) for lunch. 점심 메뉴를 방금 결정했다.
    I will go to Japan. 막연히 '난 언젠가 일본에 갈 거야'
  - be going to+동사 원형 : 구체적 계획이 잡힌 미래를 표현한다. 주로 2개월-6개월 이내다.
    I am going to go to Japan. 이미 스케줄 다 잡아 놓았다.
  - be ~ing+동사 원형 : 구체적 계획이 잡힌 가까운 미래를 표현한다. 주로 2주-2개월 이내다.
    I am going to Japan. 빠른 시일 내에 간다는 메시지다.
  - be about to+동사 원형 : 2-3분 이내 일어나는 일을 의미한다.
    I am about to leave home. 지금 막 집을 나섰어.

LEARNING TIP QUIZ 4

다음에서 적절한 시제에 맞는 단어를 고르시오.

1. The soldiers (get / gets / got / have gotten / had gotten) up at six every morning.

2. Tomorrow (will be / will is / is / are / was / were / has been / had been) a holiday.

3. My family (live / lives / lived / has lived) in this house for seven years.

5 시점을 일치시키는 수동태 구문의 편리성

국어 시간에 소설의 시점을 배웠을 것이다. 일인칭 주인공 시점과 관찰자 시점, 3인칭 관찰자 시점과 전지적 작가 시점이 그것이다. 영어로 표현할 때도 이 법칙은 적용된다.

> When I was in school, I often had number 3 on the roll book. That meant I was the third shortest student in my class. I hate that. I wanted to be stronger, powerful and taller as man, not boy. And often, teachers asked a lot of questions to only me among the students in my class. However I was not so much smart. So I would sometimes give wrong answers. As a result of that, I was often embarrassed with my wrong answer and the responses from the teachers or students.

내용이 I 의 시점으로 전개되다 teachers로 바뀌었다. 독자나 청자의 의식이 1인칭 주어의 시점을 따라가다가 헷갈린다. 표현도 어색하다. 이럴 때, 시점을 통일하기 위해 수동태를 쓰면 주어 I의 시점을 유지할 수 있다.

Teachers asked a lot of questions to only me.
→ A lot of questions were asked to only me by teachers.

시점이 일치하므로 문장의 흐름이 자연스러워진다.

 Help Note

수동태 문장의 의미

    a. I made a box.   **b.** The box was made by me.

능동형 문장 a에서는 상자를 만든 사람이 '나'라는 것을 전달한다. 수동형 문장 b에서는 누가 만들었는지는 중요하지 않다. The box가 만들어진 것이 중요하다.

LEARNING TIP QUIZ 5

다음을 수동태가 포함된 영어 문장으로 바꾸시오.

1. 아침 식사는 하절기 동안엔 월요일부터 금요일까지, 오전 6시부터 10시까지 제공된다.

2. 그는 10년 전에 죽은 것으로(dead) 여겨왔다(think).

3. 복도(hallway)에서는 아무도 보이지 않았다(see).

약국에서 (의사가 처방해 준) 감기약을 타왔다.

어느 약사가 지은 것까지 말할 필요 없이, 처방된 약을 타오는 주어의 행위만 표현하려 한다. 사역 동사 have를 활용한다. 사역 동사 have엔 두 가지 뜻이 있다.

a. 사람 목적어에게 **권유해서 시키다.** **I had Tom clean.** 톰에게 청소를 (권유해서)시켰다.
b. 사물 목적어에는 (사람을 사서) **일이 되게 하다.** **I had my car repaired.**

주로, 사람이 목적어면, 목적격 보이는 능동형인 to부정사나 원형 부정사, 현재 분사를, 사물이 목적어면, 수동형인 동사의 p.p로 표현한다. 단, 감정을 나타내는 타동사를 목적격 보어로 쓸 때는 목적어가 사람일 경우 수동형을, 사물일 경우 능동형을 쓴다.

위 예문을 사역 동사 have를 시켜서 영어로 바꾸면,
주어+동사 : I + had ← 나는 + 약사에게 시켜서 타왔다
목적어 : a doctor's note for a cold ← (의사가 처방해 준) 감기약 처방전을
목적격 보어 : filled ← 처방전대로 약사가 조제해 준(사물이 목적어다. 목적격 보어는 수동태로 쓴다.)
부사구 : from the drugstore (약국에서)
모두 연결 : I had a doctor's note (for a cold) filled (from the drugstore).
　　　　　= I had the cold medicine filled.

LEARNING TIP QUIZ 6

다음 문장을 영어로 바꾸시오.

1. 나는 두 달에(every two months) 한 번 미용실(a beauty salon)에서 머리를 자른다(cut).

2. 학교 폭력(bullying)은 더 이상 사춘기(adolescent) 장난(mischief)으로 인식되지 않는다.

3. 3년 동안 나는 전 재산(the whole fortune)을 털어서 고향에 집을 지었다.

4. 그녀는 아들에게 하루 종일(all day long) 학원에서(an academic institute) 영재 수업(a class for the gifted)을 받게 했다.

5. 몇 차례의 꽃샘추위(a cold snaps in spring)는 꽃을 피우게 만든다.

6. 우리는 동생 생일 파티 때 피자를 배달(deliver)시켰다.

7 연결어를 사용해서 결과 먼저, 원인 나중 순으로 서술하기

1. 우리말은 원인을 먼저, 결과를 나중에 풀어내는데 반해 영어는 결과를 먼저 말한다.

   a. The naughty boy pulled the dog's tail and the dog ran away.
   장난꾸러기가 개의 꼬리를 잡아당겼다. 개가 도망갔다.　　　(우리말 어순)

   b. The dog ran away when the naughty boy pulled the dog's tail.
   개가 도망갔다. 장난꾸러기가 개의 꼬리를 잡아당겼으므로.　(영어 어순)

2. 접속사는 문장을 정돈시켜 준다.

   I had tried calling my brother in Seoul several times. I left messages saying that I really wanted to talk to him.
   뒤의 긴 내용을 묶어서 정돈하려 **that**을 사용했다. 간결하게 전달하는 효과가 있다.

3. 순서어를 사용하면 말에 조리가 생긴다.

   First, I woke up and got ready for the day.　먼저, 나는 일어나서 하루를 준비했다.
   Next, I had breakfast with my family.　　　다음에, 나는 가족과 아침을 먹었다.
   Then, I went to work.　　　　　　　　　그 다음에, 나는 일하러 갔다.

4. 관계사는 구사 능력을 배가시킨다.

   What do you call that Korean salad which is sour and fresh?
   특히, 모르는 어휘가 나오거나, 부가적 설명을 곁들일 때 무척 편리하다.

5. 연결어의 사용은 표현을 다채롭게 만든다. And, but, or, so, however, therefore 따위.

   Everybody enjoyed your talk as it was lively and interesting.

LEARNING TIP QUIZ 7

연결어를 사용해서 다음 두 문장을 〈원인+결과〉 순의 문장과 〈결과+원인〉 순의 문장으로 바꾸시오.

1. Tom taught me how to play the violin. We went to a music shop. (when 사용)

   〈원인+결과〉 순의 문장

   〈결과+원인〉 순의 문장

2. Everyone tells me I am too loud. I am ashamed of my act. (so 사용)

   〈원인+결과〉 순의 문장

   〈결과+원인〉 순의 문장

a. 강조하는 어구를 문장 맨 앞에 놓아서 강조를 부각시킨다. 그 뒤에 나오는 주어와 동사는 도치시킨다.

A baby bird came out from an egg. → Out came a baby bird from an egg.

Never have I seen such a beautiful sunset. 나는 결코 이렇게 아름다운 일몰을 본 적이 없다.

Under no circumstances will I tolerate such behavior. 어떠한 상황에서도 나는 그런 행동들을 용납하지 않을 것이다.

b. 조동사 do를 사용한 강조: 조동사 do를 동사 앞에다 둔다.

She does love him.   She did love him.

c. 재귀 대명사를 써서 강조: 재귀 대명사를 빼도 말이 되어야 강조 용법이다. 목적어일 땐 생략할 수 없다.

I do it myself.= I do it.   강조 용법이다.

I saw myself in the mirror. ≠ I saw in the mirror.   Myself가 목적어라 뺄 수 없다. 강조 용법이 아니다.

d. 강조 구문 : "It is ~ that..." 구문 만들기

오늘 저녁에 여유가 좀 있다.

a. 위 문장을 여섯 항목 공식에 맞춰 영작한다. I have some free time this evening.

※ 숨어 있는 주어를 찾아서 넣어 준다.

b. 강조하려는 어구를 It is ~ that... 에 넣는다. 시제는 강조하고자 하는 문장의 시제에 맞춘다.
That 이하엔 강조하느라 앞으로 보낸 어구 외에 남은 부분을 넣는다.

It is	some free time	that	I have this evening.

c. 이어 It is ~ that을 뺀다.

Some free time I have this evening.	비로소 시간을 내가 오늘 저녁에 냈다.

※ 강조하고자 하는 내용을 맨 앞에 놓고 나머지를 뒤에 붙인다. 해석 땐, 강조 어구를 제자리로 보내고 강조해서 해석한다.

d. 의문문이면 강조 구문도 의문문의 형태를 띠어야 한다.
e. 강조 부분이 사람일 땐 접속사 that 대신 who, 사물엔 which를 넣어도 된다.

LEARNING TIP QUIZ 8

다음 밑줄 친 부분을 강조하는 문장을 it is~ that 구문을 활용해서 만드시오.

I was wearing a red dress for the party yesterday.

	It was		that	
①				
②				
③				

더하기 영작 플러스 답안

Unit 1 영어는 동사 중심이다 (p. 8)

Pop Quiz 1 (다양한 답안 가능)

1. 좋아하다 2. 맛보다 3. 주차하다 4. 비우다
4. 머물다 5. 잡다 6. 되다
　해설) 동작 동사(잡다, 주차하다), 인식 동사(좋아하다), 지
　　　각 동사(맛보다, 보다), 상태 동사(되다) 등을 적어 넣
　　　는다.

Help Quiz

1. 모두 감사의 인사를 했다.
2. 책을 읽는 것은 세상을 알게 되는 것이나.
3. 하늘에 해가 높이 떠 있다.
　해설) 우리말 문장의 맨 마지막에 나오는 동사의 행동 주
　　　체가 주어가 되기도 한다.

Pop Quiz 2

2. She read.
　해설) Read가 목적어 없이 쓰이면(자동사) '책을 읽다'라
　　　는 뜻으로 쓰인다.
3. The snow fell.
　해설) 늘 시제를 맞추는 습관을 들인다.

Pop Quiz 3

2. She wore/put on a T-shirt.
3. I buttoned a coat.

Can Do!

1. He heard you.
2. I did laundry.
　해설) 집안일은 동사 do를 써서 표현한다.
3. She tasted the salt.
4. They felt hunger.
　해설) They felt hungry도 된다. 여기서는 주어+동사+목
　　　적어(명사) 문형 연습이라 명사인 hunger를 썼다.
5. We played house.
6. I took/had a class.
7. He felt the heat.
8. Seulgi did the dishes.

Unit 2 자/타동사란? (p. 12)

Help Quiz

1. 타동사의 목적어
2. 전치사의 목적어
3. a story : 타동사의 목적어
　Boram : 전치사의 목적어

Pop Quiz 1 (다양한 답안 가능)

1. I ate some fruit. 타동사
1. I ate deliciously. 자동사
2. We met the same problem. 타동사
2. We met in the morning. 자동사

Pop Quiz 2

2. 나는 다쳤다/상처가 났다.
　나는 그녀를 다치게 했다.
　해설) 그녀가 다친 상태다.

Can Do!

1. The plane landed on the runway.
　해설) 활주로 위에 내려오므로 그 뜻에 해당되 는 전치사
　　　on을 썼다.
2. I smelt a flower.
3. She felt music.
　해설) 특정한 음악일 때는 the music이다.
4. She waited on the patient.
　해설) Wait on에는 식사 시중 들다는 뜻이 있다.
5. The teacher marked the students' tests.
　해설) P34, help note 3번 참조.
6. My mother talked with my class teacher.
　해설) '~와 함께'라는 뜻엔 전치사 with를 썼다.
7. The child teased for a toy.
　해설) '장난감을 위하여'라는 개념이므로 전치사 for를 썼
　　　다.
8. Smoke filled the room.

Unit 3 자/타동사의 적용 기준 (p. 16)

Help Quiz

1. The/A
　해설) 둘 다 답이 된다. 이 문징 하나로 이느 답이 옳은지
　　　판별하지 않는다. 대화자끼리 알고 있는 전화기가
　　　울린다면 the, 낮선 일반 전화기가 울린다면 a다.
2. the
　해설) 누구의 어깨인지 안다. 그녀의 어깨다.
3. the
　해설) 안부를 물을 때는 아는 아기다.

Pop Quiz 1

2. I started to the door.
3. I went out (of) the door/gate.
4. I went to school by bus.

Pop Quiz 2

2. I approached the door.
3. I left the door/gate.
4. I took a bus to school.

Pop Quiz 3

1. A dog went after the schoolboy/schoolgirl. = A dog was after the schoolboy / schoolgirl.
   해설) 초등학생은 an elementary school student, school child 등으로도 표현.
2. They are a picture and a plant.
   해설) 사진과 액자 두 가지이므로 thcy로 한다.
3. He used a computer. / He worked on a computer.
4. A man was at the package. / A man looked at a package. / A man saw a package.
5. I made a bed.
6. She wore makeup.

Can Do!

1. She put on some weight.
   해설) 몸에 붙이는 것은 모두 put on이나 wear을 쓴다. 장신구 달기, 화장하기, 살찌기, 향수 뿌리기 등.
2. He wore/was wearing a new coat.
   해설) Wear은 뒤에 구체적 옷의 종류가 와야 한다. 막연한 clothes는 잘 안 쓴다.
3. I'll get changed.
4. He is growing (out) his hair.
5. Trees are growing taller.
6. The family grew/has grown in size/bigger.
   해설) 기간에는 완료형을 쓴다.
7. Fears are growing.
   해설) 진행중이라 진행형을 썼다.
8. The clock said three o'clock.

Unit 4 편리한 be 동사 (p. 20)

Pop Quiz 1

1. The movie was long.
2. His voice is familiar.
3. I'm sure about that.

Pop Quiz 2

1. I was at class.
2. We were at sad movie.
3. The baby was at ease with her/his/its/the mother.

Pop Quiz 3

2. I'll be right back.

I'll be back soon.
I'll come back soon.
3. He was up last night.
   He sat/stayed up last night.
4. Where are you from?
   Where do you come from?
   해설) 위의 두 질문은 출신지를 묻는다. Where are you coming from은 어디서 오는 길이냐고 묻는 것.

Pop Quiz 4

1. There is an elephant at the zoo.
2. There is a spare tire in the trunk.
3. There is a fly (sitting) on the palm.

Can Do!

1. My mom is for my brother.
2. There is lots of snow in the north in winter.
3. There was a noise behind me.
4. I was on a bus.
5. There are (two) lamps on the both/opposite sides.
6. Maybe, I'm wrong. / I maybe be wrong.
7. There are 29 days this month. / in the month.
8. He was absent yesterday. / He was not at class ...

Unit 5 4형식의 의미와 5형식의 목적격 보어 (p. 24)

Pop Quiz 1

1. The man presented her a bunch of flowers.
2. My mother cooked me dinner.
3. The decision gave me second thoughts.

Pop Quiz 2

1. They considered him a nice gentleman.
2. Military service made him a man.
3. Don't get your dress rags.

Pop Quiz 3

1. That hairstyle made me look too old.
2. My words made the teacher mad.
3. The rain let the air fresh.

Help Quiz

1. spoken 2. come/coming 3. caught
   해설) 1. 영어 입장에서는 말해지는 것이다. 2. 그가 그녀에게 능동적으로 다가가는 것이다. 지각 동사는 현재 분사를 사용할 수 있다. 화자와 청자의 거리가 가까워지면 come, 거리가 멀어지면 go를 쓴다. 3. 물고기 입장에서는 낚인 것이므로 수동형이 온다.

Can Do!

1. Hangang made/has made/has been making Seoul rich.
2. Don't make children cry.
3. My sister helped me clean the room.
   해설) help+사람+원형부정사, help+사물+to부정사
4. I heard something fallen.
5. I had a black noodle delivered.
6. He reported the parade to be an 100 meters away.
7. Seulgi told Boram a secret. / Seulgi told a secret to Boram.
8. We built a snowman funny.

Unit 6 순서가 있는 형용사 (p. 28)

Pop Quiz 1

1. those seven large ships
2. lots of/a lot of beautiful young Korean women
3. a Chinese glass flower/floral-patterned tray

Pop Quiz 2

1. vocabulary lists   2. a wall clock
3. a university town   4. a desk calendar

Pop Quiz 3

1. a quick/short-tempered boss
2. a good-looking actor
3. a tear-off memo pad
4. a short-term stay/a short-stay

Pop Quiz 4

1. a seven-story building
2. a 13-player soccer team/soccer team of 13 players
3. a 90-score test paper
4. a two-year contract worker

Can Do!

1. We moved to a small old brick house.
2. I gave/handed half a very big red apple to my sister/brother.
3. He gets a good salary.
4. They had/spent/went through a tough/hard/difficult time.
5. She wore nice long black stockings.
6. I found my important first-birthday picture.
7. A cute, dark-eyed girl smiled.
8. The inventor cleaned the room with a ridiculous round red plastic clean-up robot.

Unit 7 동사를 따라다니는 부사 (p. 32)

Pop Quiz 1

1. on a trip 2. at a wedding
3. in green uniform 4. at twenty four

Pop Quiz 2

1. the people of Seoul
2. the thirty first of October
3. the glass of water
4. the hand/hands of clock

Pop Quiz 3

1. a person of honesty = an honest man
2. a worker of experience = an experienced worker
3. This information is of use = useful information
4. an issue/a matter of importance = an important issue

Can Do!

1. (It's) an eye for an eye.
2. I am in school.
3. My news is on a newspaper today.
4. This sofa is not on sale this season.
5. I'm a person of my words.
6. He/The person is better at the back.
7. We have that T-shirt in various colors and sizes.
8. He has a mind of strength.

Unit 8 부사의 위치 (p. 36)

Pop Quiz 1

1. He came first.
2. He means well.
3. They talked loudly.

Pop Quiz 2

1. He just received/got a strange letter.
2. My mom never gets up late.
3. They will certainly come.

Pop Quiz 3

1. My father is very home-loving/domestic.
2. He has/runs a very large company.
3. The gentleman looks fairly older.

Pop Quiz 4

1. You worry too much.
2. I spoke English very slowly.
   해설) speak English: 영어를 말한다
   speak in English: 영어로 말한다
3. The girl plays the piano quite well.

Can Do!

1. The movie was really boring.
2. Sadly, she often missed too many good chances.
3. Occasionally, the poorly paid social worker helped me.
4. It was not a too terribly cold morning.
5. The boy turned/was barely twelve years old.
6. I still feel too painful on my back.
7. She doesn't stay/isn't home too much.
8. Surprisingly, the bicycle racer always pedaled very swiftly at a world championship.

Unit 9 2어 동사의 위치 (p. 40)

Pop Quiz 1

1. 뛰어내리다   2. 내려놓다, 비난하다
3. 넘어지다   4. 드러눕다

Pop Quiz 2

1. 올려다보다, 존경하다
2. 걸어 올라가다, 거슬러 올라가다, 방향을 바꿔 가다.
3. 뛰어오르다, 갑작스럽게 일어나다.
4. 높이 올리다, 세우다, (값을) 올리다

Pop Quiz 3

1. (위로 주니까) 포기하다
2. (안으로 주니까) 제출하다, 항복하다
3. (바깥으로 주니까) 바닥이 나다, 나눠 주다
4. (멀리 주니까) 선물하다, 기부하다, 비밀을 누설하다

Pop Quiz 4

1. Seulgi called her back.
2. She tried on a sweater. / She tried a sweater on.
3. He turned off the printer. / He turned the printer off.
4. (Please,) fill in the blanks/fill the blanks in.
5. (Please,) fill out this form/fill this form out.
6. (please,) fill up the gas tank/fill the gas tank up.

Can Do!

1. I gave back the book to the library.
2. He carried out the/his promise.
3. The the assistant put back the papers yesterday/put the papers back on the president's ~.
4. The working student/bus boy clear the table for customers./plates from the customer's table.
5. The rain called off/canceled our school outing/picnic.
6. I looked up 'construction' in English dictionary.
7. The trip took up ten days.
8. We put on carnation corsages on the parents for Parents' Day.

Unit 10 순서가 있는 부사와 여섯 항목에 적용하기 (p. 44)

Pop Quiz1

1. I was up in bed at midnight.
   해설) up: 방법, in bed: 장소, at midnight: 시간
2. I go to school in time every morning during the semester.
   해설) in time: 시간 안에, on time: 정각에
3. He has lunch at only that restaurant all year round.

Pop Quiz2

1. I didn't enjoy the movie on TV.
2. I was born in Seoul on a very cloudy day in winter in/of 2000.
   해설) 같은 항목이면 작은 단위가 앞에 온다.

Can Do!

1. The students on a spring picnic talked loudly in the train.
2. A senior citizen sat before me in the bus.
3. Boram applied for the job hastily just now.
4. My friend and I walked into/to class together.
5. My parents had three children after me in a row.
6. On Saturday during the speech, he sneezed loudly/violently.
7. The sun lightened his broad-round face, flat broad nose, slanting-narrow eyes.
8. He speaks/sounds like a hick and grins too openly and often.

Unit 11 동사가 명사가 되는 법 (p. 48)

Pop Quiz1

1. To eat candy is to ease hunger. / To eat candy can ease hunger.
   해설) hunger: 명사, hungry: 형용사
2. To do homework is the first step to study well.
3. To clean a house helps to cut medical expenses.

Pop Quiz2

1. To speak English is to know it.
2. To be healthy is to be happy.
3. To clean a house is like to wash a body.

Pop Quiz3

1. I like to ski.
2. I don't like to exercise every day.

3. I like to see the stars in the night sky. / I enjoy seeing the stars ~
   해설) Enjoy는 동명사만을 목적어로 받는다.
4. I want to see him.

Pop Quiz4

1. I hate/don't like you to miss the train.
2. We agreed for the gold medal winners to receive the bonus from the government.
   해설) 일반인은 we, you, they로 표현한다.
3. I didn't mean you to hear me/to hear what I said.
4. I cleaned the mirror to reflect things clearly.

Can Do!

1. To win the game, you need to score more points.
2. To be pale may be a sign of being sick.
3. To handle a high-tech device is to know how to follow the generation.
4. To count dates is to wait for something.
5. To hand my business card to someone else/others means to introduce myself.
6. I forgot not to open the window because of yellow dust.
7. I like to propose a toast at a wedding.
8. I don't like to be lazy.

Unit 12 형용사가 되는 동사 (p. 52)

Pop Quiz 1

1. a pen to write with   2. a house to live in
3. a chair to sit on   4. a test to take
   해설) 자동사일 땐 전치사를 붙여야 실제 목적어인 앞의 명사를 받을 수 있다. 의미에 맞는 전치사를 붙인다.

Pop Quiz 2

1. I found a pen to use in class. / I searched for a pen~
   해설) in class: 수업 중에, at class: 수업 시간 또는 장소
2. I looked for/searched for a house to live in.
3. I don't have a chair to sit on.
4. I have an important test to take in February.

Pop Quiz 3

1. A pen to use in class is red.
2. The house to live in at hometown is a thatched cottage.
3. The chair to sit on is a stool.
4. The test to take in February makes me nervous.

Can Do!

1. I want/hope to have a friend to help me.
2. A friend to help me is a big fortune in the life.

3. There are lots of things to eat in the refrigerator.
4. I filled my plate with food to eat at a buffet restaurant.
5. It's definitely something to think about.
6. I shook the apple tree with a pole to pick up apples.
7. The apples on the tree are well ripe.
8. Practice is one of the effective ways to learn language.

Unit 13 부사가 되는 동사 (p. 56)

Pop Quiz 1

1. I would be very happy to help you.
2. He is free to take/have a test now.
3. To have a chance again, I will/can do anything tough.
4. I want to go up to the top of the active volcano to look into the crater.

Pop Quiz 2

1. He was too young to do such a thing.
2. It is not warm enough to go out in (only) some shorts.
3. Boram is not old enough to go to school.

Pop Quiz 3

1. This was easy for you to decide.
2. It was pleasing for me to team up with you.
   해설) Please의 의미상의 주어는 전치사 for를 받는다.

Can Do!

1. Seulgi was too busy to attend the house warming party of her aunt's.
2. I was too sleepy to finish my homework yesterday.
3. The sweet potatoes were steamed enough/well to eat.
4. It is too far (for me) to walk from school.
5. Some movies are too violent for children to see.
6. She woke up suddenly to find someone looking down at her from the bedside.
7. I want to stick an apple in his mouth to keep him not to talk any more.
8. I'm going to be out of town to attend a family get-together this weekend.

Unit 14 분사와 분사구문, 동명사 구문 만들기 (p. 60)

Pop Quiz 1

1. sleeping 2. iced 3. covered 4. faded
5. surprising
   해설) 1. 사람은 스스로 잔다. 능동의 의미인 현재 분사를

쓴다. 2. 사물은 스스로 움직일 수 없다. 수동의 의미인 과거 분사를 쓴다.

Pop Quiz 2

1. Considering his age, the kid is very tall.
2. Being in the rain, you may/might catch a cold.
   해설) ~일지도 모른다는 뜻의 조동사 may를 썼다.
3. (While) eating, I watched TV.

Pop Quiz 3

1. Fishing is my favorite sport.
2. I am not really interested in hiking.
3. He succeeded in climbing the top of Mt. Everest.
   해설) 두 발로 오르는 등산은 hiking, 양손까지 써서 바위를 타는 전문적 등산이면 climbing이다. Climb은 양손과 두 발을 다 사용하는 동작이다.

Can Do!

1. After spending all day at school, I always go home hungry.
2. I was very busy typing on the computer keyboards for hours.
3. To answer your question, I'm thinking about staying in Jeju for a year next year.
4. Your attending brought honor to our occasion.
5. I often play soccer for hours without kicking/making/getting/scoring/winning a goal.
6. Putting a ladder against the wall, I began climbing toward(s) the house roof.
7. A tiny village is said to have a 'cursed tree'. / There is a cursed tree said in a tiny village. / It is said that they have a cursed tree in ~.
8. Returning home, I started cleaning my room by vacuuming.

Unit 15 형용사가 되는 관계절 (p. 64)

Pop Quiz 1

2. the words he said
3. the phone I called / the call I made
4. the toy car Tom invented
5. the restaurant Tom visited
6. the time the movie started
7. the party I was at
8. the money I hid
   해설) Hide의 과거/과거 분사 형은 hid다.

Pop Quiz 2

2. the co-op he lives in
   해설) 영어권의 apartment란 월세 개념의 주거 형태다.
3. the call I hung up

4. the pretty X-mas card I tore
5. the picture/photo Maria is/was laughing broadly in.
   해설) In은 in which에서 which가 생략되어서 in이 뒤로 간 형태, 사진 속에서 라는 의미다.
6. the TV show/program I watched yesterday
7. the book my friend recommended highly
8. the holiday gift my grandparents gave on the New Year's Day

Pop Quiz 3

1. I toured/looked around the house he lived in.
2. I thought over the words he said.
3. My younger brother/sister found the money I hid.

Pop Quiz 4

1. The house he lived (in) was under repair.
2. The time the movie started was 8 o'clock.
3. The photo Maria was smiling/laughing in made me happy.

Can Do!

1. The car I broke went/was sent to the junk yard.
2. The mechanic repaired the car I broke.
3. The toy car Tom invented did not roll at all.
4. I asked a multiplex attendant the time the movie started.
5. We ate at the restaurant Tom visited/has been to.
6. He didn't get/answer the phone I called.
7. I heard the bell ringing from the phone I hung up.
8. I fixed up the X-mas card I tore with Scotch tape again.

Unit 16 주어 대신 들어앉은 관계사 (p. 68)

Pop Quiz 1

1. the bunch of flowers (which is) hung with a bow
2. the printer which can print out
3. the ring (which is) twinkling / the ring which twinkles
4. the cake (which is) on a table
5. the timer (which is) corn-shaped / the timer (which is) shaped after/like a corn / the corn-shape timer
6. the dress (which is) out of fashion/old-fashioned

Pop Quiz 2

1. the name (which is) written on the business card
2. the man who is a famous actor
3. an ad flyer (which is) given out at the subway entrance
4. the book (which is) covered in red

5. the family which lives next to us
6. An ad magnet (which is) stuck on the refrigerator

Pop Quiz 3

1. The name written on the business card was unfamiliar to me.
   해설) 누구에게 낯설어 보이는지 전치사구로 밝힌다.
2. The timer shaped after/like a corn rang right on time.
3. The neighbors who live next to us are very friendly.

Pop Quiz 4

1. I cut and shared the cake (which was) on the table with people.
2. I timed with a timer (which was) corn-shaped.
3. I saw the actors (who were) filming a movie in the park.

Can Do!

1. The ad magnet (which was) stuck on the refrigerator said "Good Pizza". / There was written "good pizza" on the ad magnet (which was) stuck on the refrigerator. / There was 'good pizza' written on the magnet (which was) ~
2. I removed/cleared off the ad magnet (which was) stuck on the refrigerator while I was cleaning.
3. The (ad) flyer (which is) given out at the subway entrance had a 1,000 won discount coupon.
   해설) Flyer에는 이미 광고라는 뜻이 있으므로 ad 생략 가능.
4. I was embarrassed with/because of a toilet roll (which was) run out in the restroom.
5. I observed the stars (which were) twinkling with a telescope.
6. Only after I saw the name (which was) written on the business card, I recognized he was the President.
7. The bookstore was filled with books written in English. /The bookstore was full of books written in English.
8. The moment looked like a movie scene which was alive with people and flowers.

Unit 17 소유격 관계절+what 관계절 (p. 72)

Pop Quiz 1

2. There is a man over there. + His daughter is in my class.
   → There is a man over there whose daughter is in my class.
3. The professor gave a hard test. + His class I take.
   → The professor whose class I take gave a hard test.

Pop Quiz 2

2. I visited a house. + The roof of the house was tiled.
   → I visited the house of which the roof was tiled.
3. I bought a money box. + the shape of the money box looked like a pig.
   → I bought a money box of which the shape/whose shape looked like a pig.

Pop Quiz 3

1. He is not what he was.
2. What he has is not what he is.
3. What he says means what he believes.

Can Do!

1. The people whose house I visited were very kind. / I visited the house of which people were very kind.
2. Boram's family hates the neighbor whose dog barks all day long.
3. Ms. Susan is the teacher whose class I enjoy most.
4. We know nothing about what he did. / We didn't know anything about what he did. / We don't have any information about what he did.
5. Once upon a time, there was a dinosaur whose mouth was big.
6. He whose picture was on the newspaper is famous.
7. The owner whose window I broke was very upset.
8. This is how he talks. / This is what he says.

Unit 18 전치사 없는 관계 부사절 S+V+S+V+~ 문장 (p. 76)

Pop Quiz 1

1. The restaurant (where) I often eat out is on the kitty corner from McDonald's at the intersection.
2. The clock whose hands stopped was hung on the wall (where) we newly wallpapered.
3. This is the top of the mountain (where) we shouted once.

Pop Quiz 2

1. This house reminded me of the time when I bought the first house.
2. It is the time (when) the World Cup will be on (air/TV).
3. We invited our parents to/at the school expo/Cabaret (when) we played/performed a musical.

Pop Quiz 3

1. Her beauty is the reason why she is so popular.

2. I just understood why she looked so sad.
3. I can't give/tell you (the reason) why I went there yesterday.

1. We have to choose how we will live in the future.
2. He showed us how he played the violin by ear.
3. I am studying how ants build the nest/tunnel.

Can Do!
1. We have to decide what is important for our project now.
2. The boss could not recall what his employee's name was.
3. She remembered she read about the accident which happened yesterday in a newspaper.
4. I must say (that) visiting Rome gave me great pleasure.
5. I told my friend (that) the photo Maria was laughing in reminded me of my school days.
6. I explained to Tom (that) I met/had met an old friend at the party I attended/had attended.
7. I don't know if I can take classes in U.S because I'm poor at English.
8. He remembered he asked/had asked a multiplex attendant the time the movie started/had started.

Unit 19 비교 문장 쉽게 만들기 (p. 80)

Pop Quiz 1
1. Eating less is the key to weight loss.
2. He is going to be/has been more and more forgetful.
3. Seulgi is 15 centimeters taller than the average height.
4. There were fewer people at the movies/movie theater than usual.

Pop Quiz 2
1. She expressed her opinion more clearly than before.
2. Boram weighs the least in my family.
3. She left work later than before.

Pop Quiz 3
1. Travelling in those days was not as easy as it in theses days.
2. My appetite is bigger than ever before.

Pop Quiz 4
1. The faster he ran/the more he ran, the more out of breath he became. / As he ran faster, he became out of breath.
2. The later you do your honework, the later you have to go out.
3. The more she talked, the less she seemed/looked stupid. / As she was talking, she seemed less stupid.

Can Do!
1. His black blazer looked more expensive and well cut than previous ones.
2. The sadder thing is (that) the girl seems much more beautiful than me.
   해설) 동사 seem은 뒤에 동사가 나오면 to-부정사로, 형용사가 나오면 seem + 형용사로 쓴다.
3. Is there a better way to make kimchi in a short time?
4. 123 Building is one of the tallest buildings of all time in Korea and a lot of people from many regions visit to see it.
5. If we miss this bus, we have to wait twenty minutes more for the next bus.
6. This novel is not as entertaining as that comic; nonetheless, it is very informative.
7. I tried to hang out with my children as much as possible.
8. She took down/picked up the laundry as fast as possible from the clothes line.

Unit 20 어렵기만한 부정 표현 (p. 84)

Pop Quiz 1
1. There is no car. / There are no cars on the street.
2. Nobody in our class/no classmate did the homework.
3. No one knows what he wrote.
4. No one said anything.

Pop Quiz 2
1. There is nobody here by that name.
2. There is nothing useful to us in the information.
3. Korea won the soccer game 3 to nothing.
4. We know nothing about his doing/what he did.

Pop Quiz 3
1. No other way was so interesting as this.
2. No one can move until I give the order. / No one makes a move before I order.
3. Nothing could be/have been more annoying.

Can Do!
1. No one can solve the problem.
2. None of the fruits was fresh.
3. No sooner had I got back to my room than the doorbell rang to wake the dead.
4. No one took care of him when he was sick.

5. My school is no distance from here.

6. None of them sensed it. / None of them noticed it. / None of them realized it.

7. You'll have no choice but to do that next week.

8. No one was home, no one was around, and no one came there.

Unit 21 문장 만들기 세 가지 요령 (p. 88)

Can Do! 1

1. As I came down with food poisoning. I have a doctor's note here.

2. We talked about the fear of aging for a long time on the very next day.

3. He is not as(=so) healthy as he was in his twenties.

4. I was surprised and annoyed at his lack of sensitivity.

5. There is no 'you' and 'I' in this team.

6. Don't take this personally. / Don't listen to me personally. I just can't do it.

7. They smiled at each other. There smiles had the grief of living.

8. My father made/gave a contribution at the funeral (which was) for Seulgi's grandfather with a note of the sincere condolences in the guest book.

Can Do! 2

1. I was thinking about getting away for a while.

2. I cannot give/tell you the exact date of my arrival as I have a plan to stay for some more time. / I am staying /will stay for some time more. / I have a plan which I will stay for some more time.

3. In fact, I am never bored in this city. I enjoy looking at all the old buildings and always find something new to interest me.

4. Seulgi was at the very crowded dinner of her friend's. There were a lot of people with kids there.

5. She opened her eyes, directly looked at me, and smiled. "Thanks', she whispered, and closed her eyes again. / She closed her eyes ~ whispering 'Thanks'.

6. My boss had me clearly do all my work here before my vacation.

7. I heard you wanted to see me.

8. She carefully picked up the paper (which was) on the desk and calmly folded it in half. / She picked up the paper on the desk carefully and folded it in half quietly.

Can Do! 3

1. I heard that you mentioned you wanted to learn English abroad for a while.

2. As yesterday was my first payday, I checked my bank account and noticed I haven't gotten paid yet./ learned I didn't get my pay yet.

3. I ate again. That was the first time in twenty-one hours I had stopped eating sweets.

　　해설) 식사를 했다는 앞의 내용을 지칭할 땐 that로 표현한다. 군것질을 멈춘 것이 밥을 먹는 것보다 더 이전 일이므로 대과거(과거 완료)를 썼다.

4. It often happens that what we want to remember is soon forgotten and what we want to forget is long kept in memory. / It is often the case that things we want to forget are long kept in memory and things we want to remember are soon forgotten.

　　해설) 주어가 길어서 가주어 it를 쓰고 진주어는 문장의 뒤로 보냈다.

5. I didn't distinguish which one was which because I couldn't see anything in the dark.

6. Thank you for taking time. I heard you are very busy as you've got/have a really tight schedule.

7. I don't think you are a coward to tell our teacher on me.

　　해설) tell+고자질을 들려줄 사람+on+일러바칠 대상

8. My computer froze while I was charging the payment with a credit card on line, but I couldn't recover all of my work.

Learning Tips 문장 구성에 필요한 문법 (p. 94)

Learning Tip Quiz 1

1. He was asked the same question repeatedly.
　　해설) 동사를 꾸며 주므로 부사가 와야 한다.

2. He put down the heavy bag from the shelf.
　　해설) 명사를 꾸며 주는 것은 형용사다.

3. The car was badly damaged.
　　해설) 형용사를 꾸며 주니까 부사가 와야 한다.

4. I'll love you in sickness and in health.
　　해설) 전치사 뒤에는 명사가 온다.

Learning Tip Quiz 2

1. He is famous for being honest.
　　= He is famous for the honesty. = Honesty made him famous.

2. He came to Seoul on business.
　　= Business brought him to Seoul.

3. I made a reservation at a restaurant for a party of four.
　　= I reserved a table for four at a restaurant.
　　해설) 식당 좌석 예약은 table로 한다.

Learning Tip Quiz 3

1. could, had
2. rains, will
   해설) 시간과 조건절에선 미래 대신 현재 시제 사용
3. asked invented

Learning Tip Quiz 4

1. get
   해설) Every가 늘 반복될 때 현재 시제다.
2. will be
3. has lived
   해설) 기간을 나타내므로 완료형이 온다.
   Family는 가족이라는 집단에 붙인 단수 3인칭 집
   합 명사다. Has가 된다.

Learning Tip Quiz 5

1. Breakfast is served from Monday to Friday, from 6
   am to 10 am, during the summer season.
2. He was thought dead 10 years ago.
3. No one can be seen in the hall way.

Learning Tip Quiz 6

1. I have my hair cut at a beauty salon once every two
   months.
2. Bullying in schools was not recognized as adolescent
   mischief any more.
3. I had a house built in my hometown using my whole
   fortune for 3 years.
   해설) For 뒤에는 구체적 숫자 개념이 나온다.
4. She had her son take a class for the gifted at an aca-
   demic institute all day long.
   해설) The gifted(the+형용사)는 복수 보통 명사가 되므
   로 영재들을 의미한다.
5. Some cold snaps in Spring have flowers bloom.
6. We had some pizza delivered at the birthday party
   for my baby sister.

Learning Tip Quiz 7

1. We went to a music shop and Tom taught me how
   to play the violin.
   Tom taught me how to play the violin when we
   went to a music shop.
2. Everyone tells me I am too loud, so I am ashamed
   of my act.

Learning Tip Quiz 8

① It was a red dress that I was wearing for the party
   yesterday.
② It was for the party that I was wearing a red dress
   yesterday.
③ It was yesterday that I was wearing a red dress for
   the party.